# SUMMER

DU MÊME AUTEUR :

*Le roman de Lili*, Lattès, 2000.
*Jungle*, Lattès, 2005.
*Tout cela n'a rien à voir avec moi*, Lattès, 2013, Prix de Flore.
*Crans-Montana*, Lattès, 2015, Grand Prix SGDL du roman.

**www.editions-jclattes. fr**

Monica Sabolo

# SUMMER

*Roman*

JC Lattès

L'auteur tient à remercier le CNL pour la Bourse d'écriture reçue en 2016.

ISBN : 978-2-7096-5982-6

Maquette de couverture : Fabrice Petithuguenin

Première édition août 2017.

*Et le Poète dit qu'aux rayons des étoiles*
*Tu viens chercher, la nuit, les fleurs que tu cueillis ;*
*Et qu'il a vu sur l'eau, couchée en ses longs voiles,*
*La blanche Ophélia flotter, comme un grand lys.*

*Ophélie*, Arthur Rimbaud.

Dans mes rêves, il y a toujours le lac. L'été où c'est arrivé, cet été dont rien n'a marqué ma mémoire, ou juste quelques images, comme des photographies nettes et brillantes, pendant ce mois de juillet où nos vies ont changé pour toujours, il faisait si chaud que les poissons remontaient des profondeurs du lac Léman. On se mettait sur la rive, et l'on voyait ces masses sombres à la surface, comme des monstres suffocants, et l'on pouvait imaginer l'intérieur de leur bouche, la chair rose, écœurante.

Selon le docteur Traub, que je vois depuis trois mois et deux semaines, au rythme de deux séances hebdomadaires – trois mois que je regarde son front humide, ses cheveux qui démarrent bien trop haut, il sera chauve dans quoi, trois ? quatre ans ? – ces poissons qui reviennent dans mes rêves sont peut-être une représentation de moi-même. Mes sensations de suffocation. D'étouffement.

Vingt-quatre ans, et treize jours, que c'est arrivé. Vingt-quatre ans et treize jours que je ne me souviens de rien, juste quelques flashs, une explosion de blanc et de lumière, et puis, plus rien.

*Poissons, noirs, visqueux. Fougères, phosphorescentes, aplaties.*
*Les cheveux des copines de ma sœur, balayant des épaules nues, au rythme de leurs mouvements de tête, cherchant Summer, criant son nom.*

Dans mes rêves, la surface luit comme un miroir coupant, ou une dalle de verre. L'eau semble glacée et chaude à la fois.

J'ai envie de plonger, d'aller voir ; mais les poissons sont noirs, les plantes se déploient comme des tentacules. Des filaments souples, luisants, qui se balancent dans le courant.

Quelquefois, Summer est là, immobile, juste sous la surface. Ses yeux sont grands ouverts. Elle essaie de dire quelque chose, ou alors de respirer. Ses cheveux bougent dans le courant, ils semblent vivants. Je tends la main, mes doigts effleurent la surface. Mais ce n'est pas elle, ce sont les algues qui ont dessiné un corps. Ou quelquefois, c'est un animal, sombre, rapide, qui rampe sous l'eau, entre les pierres.

Pourtant, je sais qu'elle vit là-bas.

Depuis ce jour, ce jour de juillet où ma sœur m'a laissé les accompagner à ce pique-nique au bord du lac – *fougères immenses, fluorescentes, rochers humides, glissants* –, elle et ses copines – *cascades de cheveux lâchés, bikinis bariolés, ongles nacrés, dégradé de rose, rouge, corail, en gros plan* –, je n'ai pas beaucoup pensé à elle. Presque jamais, aussi étrange et glaçant que cela puisse paraître.

Et pourtant, je l'adorais. Sur les photos de classe, on ne voyait qu'elle, elle était cette beauté au sourire franc, ses cheveux incroyablement blonds, le genre de fille dont tous les garçons sont amoureux. Moi, sur les photos, je suis toujours sur le côté, légèrement à l'écart, avec mon air de psychopathe.

Ma sœur, Summer, née au tout début de l'été.

Ma sœur Summer disparue en été. Trois semaines à peine après son anniversaire. L'été de ses dix-neuf ans.

Ma mère disait qu'à sa naissance ses cheveux étaient si clairs qu'on aurait dit qu'ils étaient constitués de lumière.

Ma mère qui ne parlait pas l'anglais et n'a jamais fait preuve du moindre romantisme, avait choisi pour sa fille un prénom de pom-pom girl, de pop star californienne. Un prénom qui évoquait un champ de fleurs, où volettent des papillons écarlates. Ou une corvette rutilante, fonçant sur une corniche le long de l'océan.

Ma sœur ressemblait pour de vrai à une reine de beauté de feuilleton américain, ces filles saines, aux jambes élastiques, avec des dents blanches irréelles, et dans leurs yeux une lueur insaisissable évoquant le chagrin ou le mal. Ces filles qui ont des rêves trop grands pour elles, ou qui font naître une douleur, quelque chose qui ressemble à du ressentiment, dans le cœur des garçons, et qui finissent dans le coffre d'un 4 × 4, au fin fond d'une forêt.

Mais c'est sans doute parce qu'elle n'est plus là que j'ai des idées si mélodramatiques. Jamais je n'avais pensé ce genre de choses, quand notre vie était juste la vie, qu'elle suivait ce cours qui semblait éternel. Ces années-là, elle était simplement ma grande sœur adorée, qui buvait des chocolats froids à la paille, les paupières maquillées de bleu, ma sœur qui me valait les ricanements effarés des garçons de ma classe, leur nervosité (« nan tu déconnes, c'est ta sœur ?! » « Eh Wassner, ta sœur, tu rêves de te la taper, hein ? », « T'es sûr que t'as pas été adopté ? »).

Je suis la preuve vivante que l'on peut vivre sans les êtres que nous aimons le plus, ceux-là même qui rassemblaient les milliers de fragments minuscules qui nous constituent. Ces êtres que l'on est terrifié de perdre, parce qu'ils nous donnent la sensation d'être réels, ou du moins un peu moins étrangers au monde, et puis, quand nous les avons perdus, nous n'y pensons plus.

Je n'ai aucune idée du lieu où elle se trouve, pas plus que je ne sais où est passé l'adolescent maigre et nerveux de quatorze ans que j'étais alors. Ils sont peut-être ensemble, dans un monde parallèle auquel on accéderait à travers un miroir, ou la surface d'une piscine.

La nuit, Summer me parle sous l'eau. Sa bouche est ouverte, palpitante comme celle des poissons noirs.

*Viens me chercher Benjamin s'il te plaît Je suis là, juste là Viens me chercher S'il te plaît s'il te plaît.*

Comme un chuchotement, le murmure de l'eau.
*Je suis là.*

Le docteur Traub, qui sourit beaucoup – trop, on dirait qu'il sait tout, qu'il sait où elle est, ce sourire, ces lèvres charnues, serrées, qui semblent renfermer les secrets de nos existences – le docteur Traub dit que c'est compréhensible. Je n'ai jamais pu métaboliser l'information.

C'est classique, dit le docteur Traub.

Classique ? Perdre sa sœur, dans un souffle ? Elle sourit, elle court, au milieu des herbes plus grandes qu'elles, et puis c'est fini, elle n'est pas morte, ou peut-être, on ne sait pas, plus personne ne se pose la question, personne n'a *métabolisé*, c'est juste arrivé, ou peut-être était-ce un rêve, elle a simplement disparu, derrière un arbre, et puis, plus rien, pendant vingt-quatre ans et treize jours, quelque part, dans le vent, dans les arbres, dans l'eau. Ou *ailleurs* ?

J'acquiesce, j'attends mon ordonnance (Deroxat, 50 mg par jour, Xanax, 4 mg par jour), je ne sais pas ce que cela veut dire. Il y a ses cheveux, qui semblent humides, comme s'il revenait d'une baignade, et qui foutent le camp, vers l'arrière, je souris, c'est une seconde nature chez moi. Le docteur Traub sourit lui aussi, comme s'il était satisfait de l'orientation de la conversation, que tout était normal, comme si on était sur la bonne voie, oh mon Dieu.

Le docteur Traub aime quand je lui parle de mes rêves. Il se cale dans son fauteuil et il opine, il a sans doute l'impression de me tenir. On dirait qu'il est le maître des songes, il règne sur la nuit, ces eaux profondes où je nage, dans ces forêts aquatiques qui remontent à la surface, semblables à des chevelures emmêlées.

Pourtant je sais que le docteur Traub n'est jamais allé là-bas. Personne n'y est jamais allé. Même moi, qui voyage quelquefois dans cet autre monde, emporté dans les eaux sombres, ou peut-être est-ce dans l'espace, un été où l'air est si dense qu'il soulève les corps, les emporte dans un mouvement doux, telle une barque dans le courant, même moi, là-bas, je ne suis qu'un visiteur. Je me réveille, un goût métallique ou de vase dans la bouche, et la silhouette de Summer s'évapore, et avec elle le monde entier. Il se disperse en millions de particules. Une pluie de cendres dans un ciel immense, elles recouvrent le temps, ce qui a eu lieu, et ce qui vient, et se fondent dans le noir, de la poussière de nuit dans la nuit.

Cela a commencé il y a quatre mois. Au début du mois d'avril, l'air était si transparent, que, depuis les fenêtres de mon bureau, au huitième étage de la tour UBS des Eaux-Vives, à Genève, j'avais la sensation de pouvoir le toucher du doigt. Le Jet d'eau semblait à portée de ma main, je voyais les détails de ses remous, l'eau qui retombe en écume soyeuse, comme de la mousse, du champagne ou une gigantesque giclée de sperme. Ils avaient repeint durant le week-end, et la moquette, beige, épaisse, dégageait l'odeur suave de ces produits d'entretien, dont le bleu translucide évoque un ciel de printemps ou une mort hygiénique. Les fenêtres étaient si propres qu'elles semblaient inexistantes – il faudrait que l'on m'explique, un jour, la motivation névrotique à éradiquer la saleté qui anime ce pays, on dirait que l'idée même de la dégradation, du pourrissement, ne serait-ce qu'une empreinte de doigt, est insoutenable, une menace, une forêt sombre aux portes de la cité, où rôderaient des bêtes sauvages, des créatures des ténèbres.

Il flottait dans la pièce un parfum chimique, cette odeur malsaine et entêtante de la peinture. Je regardais le ciel, translucide comme le cœur d'un dieu, les cloisons de mon bureau, qui semblaient faites d'une matière friable, écœurante – du papier mâché ? un magma de miettes, d'ossements d'oiseaux ? – et puis le sol était devenu mouvant, la pièce s'était mise à tournoyer au-dessus de la surface miroitante du lac et, un instant, j'avais vu le monde entier s'y refléter.

Maman marche devant le grand escalier, dans la maison de Bellevue, au bord de l'eau. L'odeur de peinture fraîche pénètre mes poumons. Cette odeur. Elle est partout, dans toutes les pièces ; les six chambres, les deux salons communicants, la cuisine, le double escalier monumental. Tout va bien se passer, me dis-je, et je regarde le sourire de maman. Papa sourit lui aussi, les manches relevées, il fait de grands signes aux amis qui débarquent en bateau à moteur – des jeunes femmes resplendissantes en maillot de bain, des hommes qui ressemblent à papa, forts, radieux, l'un d'eux conduit le bateau, chemise ouverte, en fumant un cigare. Ils s'amarrent au ponton qui donne directement dans le jardin, sautent sur la berge, au-dessus du muret, tapissé d'une mousse noire qui s'effrite sous les doigts. Ils passent sous les arcades en métal du petit kiosque à musique, où Summer adore jouer en chuchotant pour elle-même, ils ont les bras chargés de bouteilles de vin et de serviettes de bain, pieds nus, cheveux mouillés.

Papa, sourire de triomphe, fierté virile, maman, rayonnante, sa robe presque transparente, et Summer, en short et débardeur, sa queue-de-cheval nouée tout en haut du crâne qui se balance entre les omoplates, sorte de miniature délicate de maman, tous les trois irradient – mon Dieu que je les aime, mon cœur gonfle, une boule de papier dans ma poitrine – ma famille… Ils sont encore plus beaux que les invités, sur la pelouse, et pourtant tous ces inconnus sont impressionnants, les filles, longues jambes luisantes, peau nue plus que nue, les hommes, un verre à la main, chemise ouverte. On a recouvert la longue table de jardin d'une nappe en lin, sous le peuplier dont les branches retombent dans le lac, un long filet sombre qui balaye l'eau. Portées par le vent, de minuscules fleurs duveteuses se déposent sur la table dressée, et dans nos cheveux. Sur la petite plage, on lance du pain aux canards, ils s'avancent, en poussant des cris lugubres, et les filles en bikini poussent elles aussi de petits cris aigus, éclats de rire effrayés, pieds nus prudents sur les galets. Un cygne au plumage huileux apparaît, on dirait qu'il glisse sur l'eau, ses yeux noirs posés sur Summer. Ma sœur s'approche, suivie par les jeunes femmes à la peau phosphorescente, mais c'est elle la reine du peuple de l'eau, et le cygne est sa créature, on dirait qu'il lui obéit. Son cou élastique suit les mouvements de ses bras, et Summer rit. Son visage est éclairé comme si un projecteur était braqué sur elle.

J'ai sept ans, et je suis heureux moi aussi, même si mes pieds s'enfoncent dans la pelouse comme dans une moquette inondée, même si cette pelouse est mon ennemie. Pas seulement parce que je suis convaincu qu'elle n'est qu'un manteau d'herbes flottantes au-dessus du lac, et qu'un jour ou l'autre elle cédera sous notre poids, nous précipitant dans les profondeurs, mais aussi parce que maman qui sourit aux invités devient soudain maman nerveuse, quand elle regarde mes jambes tachées de boue et qu'elle allume une cigarette. Maman sourit, mais je connais ce sourire, il est pareil à l'air humide, il s'insinue en vous, il est aussi insaisissable qu'un courant d'air, juste sous la peau.

C'est ainsi que cela a commencé, au début du mois d'avril, et quand le docteur Traub m'a demandé, en prenant des notes, s'il y avait eu un « incident déclencheur » – j'ai toujours l'impression qu'il n'écrit rien, ou alors dans une langue qui n'existe pas –, quelque chose qui avait pu enclencher ces « attaques de panique », c'est ainsi qu'il évoque cette fuite à l'intérieur de moi, le souffle court, le cœur qui s'emballe, et les ombres qui apparaissent, dans le coin externe de mon œil, filant à toute vitesse dans les airs, (des chauves-souris ? des animaux préhistoriques ?), et cette fatigue, ce besoin de fuir, mais sans en avoir la force, j'ai simplement dit, abattu par le ridicule de ma réponse : « On a repeint mon bureau. »

Le docteur Traub m'avait regardé, son visage dénué d'expression.

Bien sûr, il savait qui j'étais. Mon nom. Wassner. Tout le monde le connaît. Notre splendeur, notre malheur. Nous sommes enveloppés de notre légende, c'est un drap en voile, déployé au-dessus de nos têtes, l'éclat flottant d'une lune aqueuse. Mais nous l'ignorons. Nous n'en parlons pas. Nous faisons semblant de ne pas remarquer les regards, curieux, apitoyés, insistants. On nous observe comme si on pouvait lire quelque chose sur nos visages, ou dans la façon – faussement désinvolte – dont nous nous déplaçons. Nous vivons dans un nuage de fumée, peut-être sommes-nous faits de fumée.

— Les souvenirs associés à des odeurs peuvent resurgir avec une extrême intensité. Il existe un lien mystérieux entre mémoire et parfums.

La voix du docteur Traub était douce, appelant le lâcher-prise, l'eau fumante d'un bain.

Mais je n'ai rien dit.

Summer est restée suspendue entre nous, dans la lumière pâle de la pièce, ses cheveux déployés, de longs fils de soie. Une toile d'araignée, invisible qui nous tient prisonniers, lui et moi, des filaments délicats qui se multiplient chaque jour, en silence, et qui emplissent tout l'espace, à la façon d'un hamac inversé.

Nous avons mené un combat silencieux, pendant plusieurs semaines. Mais j'étais de plus en plus fatigué. Il avait fallu avouer au docteur Traub que je ne pouvais plus aller travailler, en dépit du Déroxat, du Xanax, et de bonnes résolutions du matin – respiration, relaxation et ricanements contre moi-même – ce vertige dès que je pose le pied sur la moquette du corridor menant à mon bureau, cette sensation de m'enfoncer dans de la vase, les battements de mon cœur, l'oiseau qui s'y débat, l'essoufflement. Et la peinture. Cette odeur, partout, qui ouvre sur un espace brumeux, humide, une plongée dans une eau blanche et trouble, où flottent des organismes translucides, minuscules et délicats comme de la dentelle.

On aurait dit que l'odeur de peinture s'était diffusée dans tout l'immeuble. Chaque jour, elle gagnait du terrain. Les derniers jours, je la sentais en pénétrant dans le hall d'entrée, juste derrière les portes vitrées, et le plancton se déployait dans l'espace, auréolant les visages des réceptionnistes, flottant tout autour des lettres UBS, en métal doré, fixées à la paroi.

Le docteur Traub n'a jamais évoqué Summer. Il n'a pas prononcé son nom. Comme à peu près tous les êtres humains que je rencontre depuis maintenant vingt-quatre ans et qui jouent avec moi la grande pièce de théâtre de l'innocence, avec plus ou moins de talent.

Les premiers temps, alors que sa photo – un portrait en couleurs, cheveux attachés, chemisier coloré, un halo pâle entourant son beau visage – était affichée partout dans la ville, j'avais été surpris par le silence qui entourait sa disparition. On aurait dit que la question imprimée en lettres disproportionnées au-dessus de notre numéro de téléphone, « Avez-vous vu cette jeune fille ? », cette question si simple, presque naïve, comme s'il s'agissait de ne pas s'affoler, ou de prendre des nouvelles d'une camarade étourdie, on aurait dit que cette question se suffisait à elle-même, qu'il n'y avait rien à ajouter. Même la description anthropométrique évoquait le portrait d'une jeune beauté en vacances. 1,71 mètre, 54 kilos, pointure 38. Cheveux blonds, peau claire, taches de rousseur sur le visage et les bras. Short en jean, T-shirt blanc, sac bandoulière en cuir naturel tressé, contenant un casque de walkman. Trois grains de beauté sur le cou, en forme de triangle.

Même lorsqu'une battue avait été organisée, sur une zone qui s'étendait de notre maison aux bois dans lesquels elle s'était volatilisée, avec les élèves de police – comme si tout cela n'était pas assez sérieux pour envoyer des professionnels, des adultes – tous ces garçons en pleine santé qui auraient pu être amoureux d'elle ou essayer d'attirer son attention en riant trop fort, sur la pelouse brillante d'un parc, faisant rouler leurs muscles en driblant, un ballon au pied, devant l'université, mais qui étaient là avec leurs visages juvéniles, des cicatrices d'acné sur leur peau, l'ombre d'une moustache, tous ces types qui s'étaient réunis dans notre jardin, en uniformes bleus de la police comme s'ils étaient déguisés, rien ne semblait se dérouler pour de vrai.

Un petit brun, transpirant dans un polo qui moulait son torse, avait fait renifler à un chien un top couleur chair appartenant à ma sœur, le tissu dans sa main tel un morceau de peau, puis ils s'étaient dispersés sur la route et le long du lac, et je m'étais senti angoissé, et furieux, j'avais l'impression qu'ils me volaient quelque chose.

Ils étaient rentrés, à la tombée de la nuit, leurs visages vides, leurs yeux creusés.

Aucune trace de ma sœur. Rien.

Ils étaient repartis, dans leurs voitures, quatre par véhicule, et je les imaginais se rendre directement dans un bar de la vieille ville, commander des bières, frimer en uniformes, peut-être que cette nuit, derrière leurs yeux fermés, passerait, furtive, une image latente, une forme recroquevillée dans un buisson, des cheveux accrochés à une branche, un tee-shirt rose dans la gueule d'un chien.

Pendant quelques jours, quelques semaines peut-être, une agitation électrique avait régné tout autour de nous. Le téléphone sonnait sans cesse, les amis de la famille nous rendaient visite, nous apportant des corbeilles de fruits, des tartes faites maison, ou même un brochet, fraîchement pêché, et dont le sourire sinistre régna plusieurs semaines dans le congélateur.

Les amies de ma sœur venaient s'épancher, rassemblées dans le jardin, fumant des cigarettes, se prenant dans les bras les unes des autres, leurs beaux yeux inquiets, leurs robes colorées dans la lumière de l'été. Quelquefois, l'une d'entre elles s'affaissait, les yeux mouillés de larmes, et aussitôt les autres l'entouraient, lui chuchotant des mots de réconfort, leur buste penché, leurs cheveux retombant en rideaux, blonds, bruns, auburn, au-dessus de son visage. On aurait dit de jeunes biches encerclant leur sœur blessée, la dissimulant aux yeux du monde.

Il y avait des garçons aussi. Ils portaient des bermudas, et ma mère leur servait à boire, avec un sourire hermétique. Ils étaient nerveux. Un soir, j'avais aperçu deux d'entre eux, assis au bord du ponton, leurs jambes se balançant dans le vide. Je m'étais approché, j'avais senti une odeur douceâtre. J'avais vu le point rouge du joint qui se consumait dans la nuit, et, dans le même temps, la silhouette mobile de ma mère, qui s'approchait, dans l'obscurité. Mes épaules s'étaient contractées, comme avant une catastrophe, mais ma mère s'était contentée de leur tendre quelque chose, sans doute un Coca ou une Cardinal. Elle était restée un instant à leurs côtés, avant de revenir sur ses pas, en direction de la maison. On aurait dit qu'elle glissait sur l'herbe, la nuit semblait s'éclaircir autour d'elle, comme si son corps dégageait de la chaleur. Je n'avais aucune idée de ce que ma mère ressentait, et cela rendait le monde plus mouvant, plus terrifiant encore.

Je m'étais souvenu de scènes comme celles-ci durant les premières semaines de ma thérapie. La nuit, je plongeais dans un sommeil profond, peuplé de rêves intenses, et le jour, toutes sortes de souvenirs me revenaient à l'esprit, c'était une rivière brassée, un torrent puissant qui retournait tout ce qui reposait là-dessous, quelque chose de gluant et qui remontait à la surface, filant à toute vitesse dans le courant, nettoyé par l'eau vive.

Un autre jour, alors que mon père était absent – il passait son temps à sauter dans sa voiture, une Cherokee Chief que Summer détestait parce qu'elle la trouvait « nouveau riche », pour sillonner les routes qui montaient dans les vignes en partant du lac, comme s'il espérait l'apercevoir, marchant sur le côté, des brindilles dans les cheveux, une fille qui se serait endormie à la plage et aurait raté le bus du retour –, ce jour-là, alors qu'il était parti, j'avais entendu un bruit assourdissant, provenant de la chambre de mes parents. Je m'étais précipité, et j'avais trouvé ma mère, assise sur le lit, au milieu de vêtements éparpillés et de ce qui ressemblait à des milliers de morceaux de verre. Ils scintillaient dans toute la pièce, jusque dans ses cheveux. Sa peau, si fine, presque transparente, semblait recouverte de glace irisée. J'avais fini par comprendre que c'était le grand miroir de l'armoire qui gisait là, fracassé. Ma mère regardait ses pieds, ses cheveux retombant sur son visage, tandis qu'une lueur douce, et rose, éclairait la pièce, rebondissant sur les morceaux de verre. Puis ma mère avait murmuré, d'une voix tremblante de colère, comme si je l'avais dérangée dans une cérémonie secrète.

— Laisse-moi.

Mais la plupart du temps, il ne se passait rien. Nous étions si démunis, nous ne savions pas quoi faire de nous, tout mouvement risquait d'entraîner notre vie dans une direction nouvelle, et l'idée même de direction était obscène. Il me semble que l'été est passé ainsi, suspendu. Ma mère portait des lunettes noires et préparait des plateaux de jus de fruits, elle passait des après-midis entiers dans sa chambre, allongée sur son lit, les jambes repliées sous ses cuisses. Mon père montait dans sa voiture, à n'importe quelle heure de la journée, démarrant de façon brutale, les roues crissaient sur le gravier – j'avais l'impression qu'il nous signifiait ainsi sa réprobation, à ma mère et à moi. On ne savait jamais où il allait, il ne disait rien, ni avant ni après, il avait juste l'air épuisé, sa chemise froissée, des cernes sous ses yeux. Nous étions soulagés, nous avions eu le sentiment que peut-être lui non plus ne rentrerait pas : on aurait retrouvé sa voiture au bord d'un chemin de terre ou à l'orée d'un bois, la portière ouverte, ou alors il aurait roulé à toute vitesse, vers l'horizon, là où le bitume devient flou, et se serait simplement évaporé dans la clarté de l'été.

Le reste du temps, il passait la tondeuse, rageusement, et on avait la sensation que si on se plaçait sur sa route, il ne s'arrêterait pas, hypnotisé par le vrombissement de la machine. Mais le pire était lorsqu'on le trouvait, assis à côté du téléphone, jambes écartées, son beau visage ramolli comme s'il était en train de fondre. Dans ces moments-là, papa, invincible, railleur, semblait avoir laissé la place à quelqu'un d'autre. Son regard, tantôt trouble, tantôt mauvais, était celui d'un inconnu.

Un jour, nous étions partis en bateau avec des amis qui avaient insisté, nous étions bravement montés à bord, avec une glacière pleine de sandwichs. Ce jour-là, mon père avait débouché des bouteilles de rosé, et raconté quelques anecdotes, debout sur le pont, les pans de sa chemise ouverte claquant sur son torse. Ma mère avait même fait du ski nautique, projetant des gerbes d'écume, longues et blanches, et un instant, avec le vent qui me faisait tourner la tête, le soleil aveuglant, j'avais eu l'impression que c'était Summer qui sautillait gracieusement entre les vagues, ses bras graciles tenant fermement le palonnier.

Il m'arrivait aussi de la voir, surgissant de l'eau, juste devant la maison, remontant sur les galets, des gouttelettes brillantes sur tout le corps, elle me souriait, avec cet air complice qui me réchauffait le cœur, et me donnait l'impression de faire partie de son existence, ou de la vie même. Elle aurait allumé une cigarette, enroulée dans une serviette, en s'asseyant sur la pelouse à côté de moi, et j'aurais ri, en pensant à notre inquiétude, comment avions-nous pu imaginer qu'elle ne reviendrait pas, et elle aurait ri aussi, en inspectant le vernis de ses orteils, son épaule ronde surgissant de l'éponge.

Quelques jours après la battue des élèves de la gendarmerie, de vrais policiers étaient venus chez nous. Deux inspecteurs, les cheveux courts, étaient descendus d'une voiture blanche traversée d'un éclair bleu, comme dans une série télévisée. Leurs imposantes chaussures noires laissaient des traces profondes dans la pelouse, tandis qu'ils inspectaient le jardin, une main en visière sur le front. Que cherchaient-ils ? Un morceau de tissu, voletant dans le vent ? Un mot de ma sœur, glissé dans une enveloppe, suspendue à une branche par un fil de laine ? Ou son corps, peut-être, dissimulé dans les buissons ?

Ils avaient parlé à mes parents d'une voix calme, posant des questions le plus délicatement possible, avec cet accent genevois chantant, qui semble si peu fait pour les drames. Mon père semblait agité, mais complice, leur touchant le bras, ou l'épaule avec cette façon qu'il avait encore à cette époque, de séduire son auditoire. Le plus grand des deux hommes, aux yeux perçants, acquiesçait en prenant des notes – son carnet, minuscule dans ses grandes mains robustes. J'avais regardé les poils noirs, luisants, sur ses bras. Il semblait rusé, et sympathique à la fois.

Il avait prononcé ces phrases qui devaient résonner dans nos têtes pendant toutes les semaines qui suivirent, auxquelles nous nous agrippions, une corde suspendue au-dessus du vide. Il avait dit ces phrases d'une voix étonnamment douce, comme surpris de l'étrangeté du comportement humain.

— Vous savez, chaque été, c'est pareil, des gens disparaissent. C'est une période où les gens font des choses insensées. Ils ont envie de liberté, de partir en vacances, de tout oublier, enfin, dieu sait ce qui leur passe par la tête. On les cherche, la famille n'a aucune nouvelle, silence radio. Et puis, à la rentrée, la plupart réapparaissent, ils rentrent chez eux, comme des fleurs.

Comme des fleurs.
La plupart.
Mais pas tous.

Sous l'eau. Un doux remous, dans les profondeurs.

Summer est là. Elle porte une chemise de nuit bleue, qui vole autour d'elle comme des ailes, ou des nageoires, les ondulations souples d'une raie. Au-dessus de sa tête, loin, très loin, le mouvement de la surface, qui tangue. Un roulis de lumière.

Summer, les yeux grands ouverts. Je vois mon reflet dans ses pupilles, une petite silhouette telle une minuscule poupée à l'intérieur d'une autre poupée, et pourtant, je ne suis pas là, je suis ailleurs.

Des poissons surgissent de l'obscurité, immenses, rose pâle, bleu sombre, marbrés d'argent. Certains traînent de longs filaments sous la bouche, d'autres ont un cercle noir dessiné autour de l'œil. Ils s'approchent, leurs nageoires semblent suivre le mouvement de ses mains, ils frôlent son corps dans un ballet extraordinairement gracieux. Les spécimens rose pâle s'embrassent, leurs bouches comme des ventouses, parfaitement synchronisés, dans un mouvement languide qui évoque une parade amoureuse, ou un combat. Puis, ils se détachent, et leurs bouches de caoutchouc embrassent la peau de ma sœur, ses bras, son visage, tandis que leurs filaments l'entourent, de plus en plus nombreux. Ils l'enlacent, se mêlent à ses cheveux qui se déploient, de plus en plus longs et amples dans le courant.

Je veux tendre les bras, mais je suis paralysé, ou je ne suis pas là, et, les poissons tournoient, ils tissent autour d'elle un filet impénétrable, et bientôt elle est entièrement emmaillotée, ses cheveux continuent de danser dans l'eau mais son corps a disparu.

Je me réveille, comme presque toutes les nuits désormais, enroulé dans des draps qui semblent vouloir m'étreindre, ou m'étouffer. Les murs de la chambre s'éloignent, et se rapprochent, dans un mouvement stroboscopique, je les vois clignoter dans le battement de mes paupières.

J'ignore où je suis. Mais ce n'est pas désagréable, on dirait qu'il m'arrive quelque chose, et, tandis que l'ombre projetée des stores trace des lignes de fuite au plafond, je ressens une légère excitation. Toutes les nuits, l'espace d'un instant, je m'interroge – suis-je à l'hôtel ? dans un hôpital ? chez une fille ? – Et, toutes les nuits – pas tout de suite – j'entends un écho, dans le lointain, un code, un signal, de plus en plus net. C'est le robinet qui goutte dans la cuisine, dans le studio de la rue des Pâquis où j'ai emménagé, au début du mois de janvier. L'eau tombe dans le lavabo de la cuisine, à intervalles terriblement lents, un son sec qui serait le métronome d'une vie infinie, parfaitement linéaire, une vie qui ressemblerait à un long corridor blanc, dans lequel on progresserait sans jamais avancer, sur un tapis roulant éclairé par un néon plus blanc encore.

Lorsque je l'avais visité, l'appartement m'avait semblé propre, et impersonnel, et j'avais cru un instant qu'ici, tout serait calme, sans aspérité, et cela avait été vrai, d'ailleurs, les premières semaines.

Et puis, une nuit, quelque chose s'était déréglé, et le robinet s'était mis à goutter, et le lendemain matin, dans la cuisine, j'avais senti de l'eau sous mes pieds. J'avais essayé de suivre les canalisations dans le placard, fixé sous l'évier, puis dans le mur, pour localiser la source de la fuite, et j'avais pensé à ces boyaux de métal qui descendaient dans l'immeuble, le long des cloisons, jusque dans la terre, traversant des plaines souterraines, jusque dans les nappes phréatiques, que j'imaginais au fond de grottes froides, où l'eau suintait de la roche, cette eau qui rampait maintenant sur mon lino, et dans laquelle je pataugeais, à genoux, en slip et T-shirt moite. Je m'étais roulé un joint, que j'avais fumé sur mon lit, les yeux rivés sur le placard, comme si un animal à la peau humide, une anguille couleur de boue, y vivait désormais, lovée sur elle-même. Il n'était même pas 9 heures du matin.

Quelques mois après les événements, une fille de terminale, aux yeux fendus, scintillants, s'était approchée de moi, derrière le terrain de sport. Elle s'était penchée vers moi, j'avais serré dans mon poing la boulette de shit que je m'apprêtais à brûler.

— Il y en a qui disent que vous l'avez bien mérité.

J'avais été surpris, non par la cruauté de la remarque de la fille aux yeux de serpent, mais par le fait que l'on parlait de nous en ayant l'air de savoir ce qui nous était arrivé. Je me souviens de ses ongles au vernis écaillé. Ce n'était pas une copine de ma sœur, elle n'était pas de sa bande, celle des filles spectaculaires, aux visages délicats, et invincibles, aux fesses moulées dans des jeans clairs, celles qui portaient leurs livres de classe nonchalamment, à bout de bras, avec l'air d'en avoir rien à foutre.

Je l'avais regardée, ses yeux brillaient. Je savais, bien entendu, ce que ce « vous » signifiait. Elle parlait de notre famille, les Wassner, de mon père, Thomas Wassner, bien entendu, cet avocat qui défendait des hommes politiques, des oligarques ou des évadés fiscaux, toutes sortes de personnalités clinquantes qui semblaient narguer les lois, et le monde, et auxquelles il avait fini par ressembler. Mais il s'agissait aussi de ma mère, qui était plus belle et insaisissable que toutes les autres mères, et, il s'agissait de moi, même si je n'avais aucune des qualités des membres de ma famille. Sans doute devais-je dissimuler des vices, des dérèglements de la personnalité. Alexia, une copine de ma sœur qui avait la réputation de rendre visite aux garçons, la nuit, à l'internat, ne m'avait-elle pas dit, l'année précédente, alors qu'elle sortait des toilettes des filles, reboutonnant son jean, me poussant de l'épaule en ricanant, « arrête de me regarder comme ça, petit vicieux ».

La fille de terminale me fixait, le cou rentré dans son anorak, les mains dans ses poches.

— Rien n'arrive jamais par hasard, avait-elle ajouté, à voix basse, en professionnelle des arcanes du destin.

Je n'avais pas répondu, et je m'étais éloigné – le shit dans ma paume humide –, avec la sensation que, oui, nous l'avions, d'une façon ou une autre, mérité. Même si j'aurais été incapable de dire ce qui était arrivé, et que, aujourd'hui encore, après toutes ces années, après tous ces articles dans les journaux, ces reportages, ces psychologues évoquant « une jeunesse en manque de repères », ou des criminologues arpentant les bords du lac, en imperméable, agitant la main en direction du bois, je n'en ai aucune idée.

Cette année-là, alors que je la croisais régulièrement dans les couloirs, ou adossée à la grille du terrain de sport, qu'elle me faisait un petit signe de la main, ou simplement de la tête, je me sentais mal à l'aise, comme avec une amie bizarre que j'aurais laissée tomber. Elle était l'expression physique du vide laissé par ma sœur, ou peut-être était-ce sa remplaçante, envoyée par une puissance cruelle et ironique, une sorte de double en négatif, avec ses cheveux ternes et son anorak démodé. Aujourd'hui, je me dis que c'était sans doute moi, son double, et que je devais avoir l'air aussi étrange et paumé qu'elle, avec ma tête de coupable et mes épaules voûtées, solitaire, fuyant et presque toujours défoncé.

Summer n'est pas revenue en septembre. Le lac avait changé de couleur, passant du bleu pâle au gris sombre, presque métallique. Le ciel semblait descendu, un filet chargé d'eau et d'électricité. Quelqu'un avait fermé la porte de sa chambre, mais tous les mercredis, la femme de ménage passait l'aspirateur et époussetait scrupuleusement sa collection de cristaux et de roses des sables, juste au-dessus des photos punaisées au mur, où elle souriait, avec ses copines, en robes moulantes, hilares, ou les cheveux dans les yeux. Un matin, une seule fois, j'avais ouvert la porte, et j'avais marché pieds nus sur la moquette beige. J'avais regardé le lit, avec sa couette fleurie – un léger creux dans le matelas, juste au centre –, baigné d'une lumière irréelle, et j'avais eu la sensation que tout était incroyablement frais. J'avais décroché un cliché sur le mur, la punaise dans ma main, comme un baiser piquant, un portrait de Summer et de Jill, dans les bras l'une de l'autre, leurs visages levés vers l'objectif, les yeux mi-clos.

J'avais glissé la photo dans mon cahier de textes, et puis un jour, après des mois – des années ? –, j'avais feuilleté les pages du carnet, avec un mauvais pressentiment, et en effet elle n'était plus là, dissoute, envolée, comme tout le reste.

Je me lève, et je marche, entre les ombres de la chambre, évitant les cartons empilés que je n'ai toujours pas réussi à défaire, j'ai même oublié ce qu'ils contiennent. Sous mes pieds, le sol est sec, mais dans l'évier, l'eau a éclaboussé l'émail.

Je serre le robinet, de toutes mes forces, et je ris, ce petit rire froid qui semble désormais être le mien.

Je m'assois sur le carrelage, j'allume une Muratti – depuis quelques semaines, je fume les mêmes cigarettes italiennes que ma sœur, je la revois, assise sur le rebord de la fenêtre, un cendrier en forme de coquillage posé sur ses cuisses, dans un peignoir en éponge qui remonte sur ses fesses, et je regarde les cartons disséminés dans mon studio. Je me demande où est passé ce cendrier. Il est peut-être encore caché, sous ses culottes en coton, ou dans sa trousse à maquillage, celle en vinyle jaune, une odeur de tabac froid mêlée à celle de la lavande, ou de la poudre, il diffuse une faible lueur dans l'obscurité, quelque part dans cette chambre intacte de jeune fille, et je pense à tous ces objets qui attendent, comme des couches géologiques de nos vies, des fossiles qui racontent quelque chose, mais quoi ?

D'aussi loin que je me souvienne, il y avait toujours du monde à la maison. On sautait sur toutes les occasions, un anniversaire, une affaire gagnée par mon père, la fête de l'Escalade, le printemps, n'importe quoi qui permettait de sortir des bouteilles de champagne, d'organiser un pique-nique ou une fête. Je me souviens des cheveux crantés de ma mère, comme ceux d'une vedette hollywoodienne – on savait que des invités allaient arriver quand on la croisait, parlant au téléphone, son Baby Liss voletant dans sa main, attrapant à l'aveugle une mèche de cheveux.

Mes parents savaient recevoir, leur générosité et leur bonne humeur en faisaient des hôtes aimés et admirés. Il y avait un nombre insensé de toasts sophistiqués, des minuscules sandwichs triangulaires en pyramide, des cocktails aux couleurs chimiques. Lors des dîners, les femmes poussaient de petits cris d'admiration, et ma mère esquissait un sourire modeste, ce qui peut sembler comique, sachant qu'elle n'a jamais cuisiné pour nous, c'était toujours la jeune fille au pair qui s'en chargeait. Le dimanche, elle nous préparait des « petits dîners », des tranches de pain de mie à la confiture, nous adorions ça, Summer et moi. Ma mère nous avait raconté qu'une semaine après leur mariage, mon père avait invité six personnes à dîner. Durant l'après-midi, face à ce poulet qui ressemblait à un enfant mort, elle avait envisagé un instant de prendre la fuite. Elle avait ajouté : « Je me voyais déjà de retour chez mes parents, à Paris, répétant, en secouant la tête : "Je n'y arrive pas, je n'y arrive pas." » Nous avions ri, mais aujourd'hui, je ne suis pas certain que c'était si amusant.

Les invités étaient toujours les mêmes, Bernard Barbey, Patrick Favre, Cyril de Watteville, Dario Agostini, les copains de mon père étrangement semblables, on avait l'impression qu'ils avaient été élevés au bon air de la montagne. Sur le réfrigérateur, il y avait une photo d'eux, à l'université, accroupis autour d'un ballon de foot, leurs visages rayonnants, et l'on imaginait des filles inscrivant leur numéro de téléphone au feutre, dans leur paume.

On avait l'impression qu'ils se connaissaient depuis toujours, même si ce n'était pas le cas. Ils racontaient des anecdotes, ils avaient vécu des choses. Plus jeunes, ils avaient été des membres actifs de Zofingue, une société étudiante aux rituels secrets, interdite aux filles, qui semblait fascinante et dangereuse. Ils s'appelaient parfois par leurs surnoms, leur « vulgo », comme ils disaient (Zoflingue pour mon père, le Tombeur pour Bernard Barbey, Bourge-de-Four pour Cyril de Watteville), souvenirs de l'époque où ils se retrouvaient, coiffés d'une casquette et d'un sautoir rayés rouge et jaune, dans un lieu non-identifié pour faire on ne sait quoi – passer des ténèbres intérieures à l'illumination universelle ? boire des bières (du sang ?). J'avais trouvé une photographie, dans un tiroir du bureau de mon père, glissée entre les pages d'un annuaire universitaire – pas le genre de tirage qu'on affichait sur le réfrigérateur –, on y voyait un groupe de jeune gens coiffés d'une Tellermütze, la peau et les yeux luisants, parmi lesquels mon père, Bernard Barbey, et Cyril de Watteville, assis autour d'une table où trônaient des bougies, des bouteilles et ce qui ressemblait à un crâne humain.

Il était impossible d'avoir des informations, mais je surprenais parfois des mots mystérieux évoquant des mondes occultes. Un soir, Bernard Barbey était entré dans le salon, en lançant : *Silentium ex ! Colloquium !*, ils avaient tous ri, et j'avais eu la sensation d'entrevoir un territoire viril et fraternel, un lieu qui vous initiait aux secrets de l'existence et vous soudait pour toujours. Bernard Barbey, immense, avec ses cheveux noirs, ses yeux bleus perçants – je comprenais parfaitement pourquoi on l'avait surnommé le Tombeur – s'était approché de mon père qui avait répondu d'une voix vibrante : *Patriae, Amicitiae, Litteris !* Je le regardais, une mèche de cheveux retombait sur ses yeux, rappelant l'étudiant enflammé qu'il avait dû être, je me sentais fier. Il était drôle, et charismatique, avec quelque chose de roué dans le regard, mais cela accroissait encore son charme. Il était mon héros, à cette époque-là.

Il était aussi le héros des femmes. Je le revois, parlant fort, mimant quelque chose, avec des gestes amples, face à un auditoire exclusivement féminin, des jeunes femmes ravissantes et bien habillées, serrées les unes contre les autres sur le canapé, jambes croisées, les yeux levés vers lui, passant une main dans leurs cheveux, ou sur leur poitrine, comme pour dissimuler leur cœur.

Ces soirs-là, maman était très gaie, sa voix était différente, elle semblait appartenir à une autre, une femme plus sûre d'elle, conquérante. Son sourire, comme si elle posait pour un photographe, révélait des dents d'un blanc optique. Elle avait toute une collection de bijoux, et laissait des traces de rouge à lèvres sur ses cigarettes.

Ces soirs-là, ma mère était toujours la plus mince et la mieux habillée.

Mon père passait une main autour de sa taille, moulée dans une jupe stretch fuchsia, ou une robe bustier dorée – des tenues extravagantes de Parisienne – et on sentait les regards de l'assistance.

Il ne se passait jamais rien d'inconvenant, tout était civilisé, et chaleureux. Les couples semblaient amoureux, ils se parlaient avec courtoisie, je ne me souviens pas d'avoir vu qui que ce soit se séparer, ou souffrir. Le soir où j'avais aperçu Marina Savioz, la meilleure amie de ma mère, assise sur le lit de mes parents, des ruisseaux d'eau sale sur ses joues, j'avais été saisi d'un élan de panique, stupéfait qu'un adulte puisse pleurer.

Mais cette scène – son visage défait, son chemisier maculé de taches – avait-elle eu lieu ? Le week-end suivant, Marina Savioz souriait, dans une robe indienne, ses bras musclés, bronzés, s'écartant pour nous embrasser, elle semblait aussi solide que notre monde.

Quelquefois, il fallait raccompagner un homme à la chemise froissée, la figure empourprée. Mon père prenait ses clés de voiture, et lui tapotait l'épaule, en nous faisant des clins d'œil.

Tous les ans, le 1er août, pour la fête nationale suisse, mes parents organisaient une grande soirée dans le jardin. Je me souviens des lampions suspendus aux branches, projetant des disques orangés sur la pelouse, et tous ces gens costumés, sous un ciel rempli d'étoiles. Les invités s'allongeaient sur l'herbe, quelquefois l'un d'entre eux se déshabillait et sautait dans l'eau.

Une année, alors que le thème était « noir et blanc », ma mère portait une combinaison, comme une seconde peau, sur laquelle était dessiné un squelette. De loin, on aurait dit une morte fumant des cigarettes. Elle avait surtout l'air toute nue.

L'été où elle s'était fait refaire le nez, elle avait dessiné le drapeau suisse sur son visage, le pansement blanc faisant office de croix.

Ma mère faisait ce genre de choses.

Il y avait toujours beaucoup d'enfants, déguisés en bêtes sauvages, ou en fantômes. Nous nous faufilions sous les arbres pour nous raconter des histoires de maisons hantées, à la lumière des lampions de papier, en nous serrant les uns contre les autres. C'est un 1er août que ma sœur, drapée dans une cape de coccinelle, a embrassé un garçon pour la première fois.

Je me souviens de cette femme se penchant vers moi, légèrement vacillante sur ses talons hauts : « Tu dois remercier le ciel, tous les jours, Benjamin. Tout le monde voudrait avoir une famille comme la tienne. »

Je remerciais le ciel, en effet. Il m'arrivait de prier devant mon lit, à genoux, les paumes jointes, comme je l'avais vu dans des séries télévisées, pour demander à Dieu de préserver ma famille jusqu'à la fin des temps. Il arrivait que mon père soit menacé, lorsqu'il défendait des criminels, ou des hommes politiques, et nous avions été mis sous protection, durant quelques mois, lorsqu'il assurait la défense d'un homme d'affaires russe. Un hiver, pendant quelques semaines, il y avait eu des policiers à notre portail. La nuit, nous entendions leurs pas sur le gravier, et les grésillements de leurs talkies walkies. Ma sœur et ses copines leur apportaient un ramequin chaud, ou un thermos de café, avant de repartir en courant vers la maison, tirant sur leurs minijupes, pouffant d'excitation.

Je m'inquiétais aussi pour ma mère, que je trouvais régulièrement le matin, dans la cuisine, un petit poste de radio allumé et un cendrier débordant de mégots sur la table, regardant au loin, à travers la vitre, en direction d'une autre vie, ou de rêves invisibles.

Il y avait aussi cette vague angoisse, lointaine mais palpable, que je n'étais pas des leurs. Je ne leur ressemblais pas, non seulement ils étaient tous les trois beaux, et blonds, contrairement à moi, qui avais les cheveux sombres, et des traits soucieux, disgracieux, du moins c'est ce que je pensais alors, en contemplant mon image dans le miroir de la salle de bains, m'interrogeant sur mes origines – où m'avaient-ils trouvé ? dans une forêt ? un marécage ? –, mais surtout ils avaient une façon de se tenir, de séduire le monde sans avoir l'air d'y prêter attention qui tranchait avec mon incapacité d'avoir simplement l'air naturel. J'étais concentré en permanence. Ma mère m'avait avoué s'être demandé si je n'étais pas sourd : je n'avais pas prononcé un seul mot jusqu'à l'âge de trois ans. J'avais dû faire des tests d'audition, dans une pièce sombre dont j'avais eu peur de ne jamais ressortir, et je voyais ma mère, de l'autre côté de la vitre, qui me faisait des petits sourires, que démentait son regard pré-occupé.

J'ai toujours eu la sensation que j'étais né trop tard. Que les actes fondateurs de ma famille, les grands événements avaient eu lieu avant ma naissance. On racontait souvent des anecdotes mythologiques à table, la rencontre de mes parents, dans un dîner parisien, la robe de mariée de ma mère, verte à pois blancs, qui, selon la légende, avait été qualifiée par ma grand-mère de « robe de pute », ou les chutes spectaculaires de Summer au jardin d'enfant. Elle passait son temps à se jeter du haut du toboggan, ou simplement d'une chaise, elle revenait du parc, le menton en sang ou le front bombé par un œuf de pigeon. Le pédiatre l'avait surnommée miss suicide. Il avait fallu lui donner des cours de judo pour « qu'elle apprenne à tomber », ce qui me semblait absurde, proprement inconcevable.

Les choses étaient différentes, avant. Avant que je ne sois là. J'ai toujours eu cette sensation. Je regardais les albums de photos, ceux d'avant ma naissance, ces souvenirs du temps où je n'existais pas. Mes parents, l'air ridiculement jeunes, dans une gondole, à Venise. Ma mère en anorak de ski, assise sur une terrasse inconnue, les cheveux longs (longs !). Mon père, une raquette à la main, devant une table de ping-pong. Ma mère dans un maillot de bain que je n'ai jamais vu, tenant Summer par la main, toute nue, sur la plage. Mon père et ma sœur, une charlotte en coton blanc sur ses cheveux bouclés, à bord d'un canot pneumatique. Ma sœur partant pour l'école, une besace en bandoulière sur sa blouse fleurie. Mon père, ma mère, et ma sœur, au parc, allongés sur une couverture à carreaux (jamais vue). Ils sourient à l'objectif, ils ont l'air heureux.

Le docteur Traub et moi, nous regardions la feuille sale, un peu chiffonnée (comment était-ce possible ? Celle que le docteur Traub m'avait tendue était immaculée, comme en attente de la vérité pure), nous contemplions en silence les noms que je venais d'inscrire, le mien, celui de ma sœur, l'un à côté de l'autre, mais éloignés par un espace démesuré, rattachés aux noms de mes parents, sur la ligne supérieure, par une ligne floue, à la pointe du crayon.

Ce matin-là, le docteur Traub portait une chemise en acrylique, une de ces matières que personne ne porte plus et dans laquelle il transpirait abondamment. Pendant les semaines qui ont suivi sa disparition, j'imaginais ma sœur pousser la porte d'un bâtiment aux murs minces comme du carton, avec de grandes vitres, et s'approcher du comptoir où une dame portant une blouse dans ce genre de matière l'accueillait en souriant, comme si elle était prête à entendre n'importe quelle histoire sordide, ou déchirante, en hochant gentiment la tête.

Le docteur Traub avait mis ses lunettes, approché son visage de la feuille, et j'avais vu la peau nue, sur le haut de son crâne. Puis il s'était installé confortablement dans son fauteuil, et il m'avait fixé, relevant ses lunettes sur son front.

— Bien. Parlez-moi d'eux.

J'ai senti que j'inspirais profondément, comme à la surface de la mer, avant de plonger vers le fond et cette chose nacrée, ensevelie dans le sable, une coquille, une amphore – un animal empoisonné.

— Ma sœur a disparu.

— Disparu ? avait répété le docteur Traub. Ses yeux bleus étaient deux petites nappes claires.

Je compris alors que le docteur Traub n'avait jamais entendu parler de Summer, ni de ma famille. J'étais stupéfait. J'ai compris que des jeunes filles peuvent s'évaporer, devenir un souffle, ou le chant d'un oiseau. Ou alors se décomposer dans un bois, sous des pelletées de terre jetées à la hâte, se métamorphoser avec les saisons, la pluie, les vers, en un tas d'ossements, nets et blancs, juste sous les pieds des promeneurs, sans que la marche du monde en soit ébranlée. Sans que personne n'y pense, ou ne prie pour elles, sans que leurs prénoms n'évoquent rien. Ils sonnent, légers, le son des clochettes dans un ciel d'été. Et alors, moi qui n'avais plus pensé à elle durant toutes ces années, moi qui ne me souvenais pas de la dernière fois que j'avais prononcé son nom, je m'étais mis à pleurer, comme un putain de gosse.

À la maison, j'étais toujours le dernier au courant. J'étais le petit, celui qui ne comprenait pas, trop jeune, trop sensible (ou peut-être un peu déficient ?).

Il se passait des choses, dans notre famille. Ou plutôt, il se passait des choses à l'extérieur.

À Bellevue, notre vie était rythmée par les allées et venues de papa. Combien de fois ai-je entendu la voix de maman au téléphone – posée, faussement douce – demandant à quelle heure mon père pensait rentrer. Sa voix, comme un souffle tendu, qui semblait glisser sur les meubles, les pièces claires, désespérément vides, jusqu'à moi, caché dans l'embrasure d'une porte. Maman silencieuse, tandis que mon père expliquait des choses compliquées à l'autre bout du fil, maman fouillant dans son sac à main pour en extraire une cigarette, pour garder son calme, peut-être. Nous l'attendions, ma mère, Summer et moi, et pendant qu'il n'était pas là – quand j'étais petit, il me semblait que mon père était là seulement quand il y avait des invités –, ma mère était plus impatiente, elle semblait un peu rêveuse, quelquefois, elle explosait, on avait l'impression que notre présence même l'épuisait, c'était comme un courant électrique, qui la reliait à papa, où qu'il soit, surtout le soir, quand il menait cette autre vie.

Et puis, parfois, il surgissait la nuit dans ma chambre, comme le héros d'un film. Il s'asseyait sur le bord de mon lit, et me massait les épaules, ou passait sa grande main dans mes cheveux, et soudain, le monde se remet à tourner, paisible, sa présence me rassure, même s'il ne s'attarde jamais, même s'il me traite de « minus », parce que je suis fluet et maladroit ou que je suis inquiet de tout. À cette époque, papa est tellement fort, c'est un intellectuel, mais il a une grâce de sportif, et l'on sent un frémissement, quand il entre dans une pièce. Je vois les joues des femmes qui rosissent, et les hommes qui cherchent son approbation, j'ignore si c'est sa puissance, ou son art oratoire, qui rendent ses actes indiscutables, tout cela me semble naturel, puisque c'est exactement ce que je ressens, depuis toujours : la nécessité anxieuse de lui plaire, d'obtenir son approbation. Dans la pièce qui lui sert de bureau, et où nous n'entrons presque jamais, ma sœur et moi, il y a une photographie de mon père en robe d'avocat, et un article dans *La Tribune de Genève* : « Le maestro du barreau ». La pièce est pleine de livres, de classeurs noirs aux intitulés mystérieux, et d'objets effrayants, des statuettes africaines, un couteau marocain.

Quelquefois, maman et papa s'enferment dans ce bureau, et je pose ma joue contre la porte. Summer me voit, de loin, elle reste là, paralysée, ses grands yeux anxieux – elle est encore cette petite fille prudente, mortifiée à l'idée de la transgression –, tandis que j'entends leurs voix, celle de papa basse, rapide, et maman, qui répond à peine, je me demande parfois si elle est bien là, avec lui, ou si elle fait des choses indicibles. Derrière la porte, mes parents évoquent ce que nous devons ignorer, je crois entendre mon prénom, et je me mets à hausser compulsivement l'épaule gauche, comme cela m'arrive de plus en plus fréquemment, ou à hausser les sourcils, à toute vitesse.

Il me semblait que j'étais à nouveau contre cette porte, une pièce où l'on aurait enfermé les chagrins et les mystères de ma famille, peut-être de l'humanité tout entière, les espoirs déçus des mères de famille aux lèvres rouges, les parts d'ombre des pères qui mènent des existences parallèles, les secrets des jeunes filles, verrouillés sous leurs paupières maquillées, ou dans les cahiers qu'elles tiennent serrés contre leurs cœurs. Avec le docteur Traub – lui que j'imagine, dans sa salle de bains, s'appliquant une lotion capillaire au parfum de pharmacie, d'un geste soucieux –, nous écoutons, contre cette porte, des murmures, des rires plaintifs et lointains.

Un jour, j'ai aperçu le docteur Traub sortant du supermarché, dans la rue de son cabinet. Il portait un sac en plastique, le regard vide. De loin, avec son visage rose, ses bras qui semblaient trop courts, sa veste informe, son pantalon beige ceinturé, il ressemblait à ces hommes entre deux âges dont la timidité respire la misère sexuelle. Il me rappelle ce type qui, un soir dans la vieille ville, avait ralenti en voiture, le long du trottoir où se tenaient Summer et Jill, fumant une cigarette. De loin, j'avais vu la vitre électrique se baisser, et Jill avait penché le buste, ses cheveux noirs lui cachant le visage. Puis la voiture avait accéléré, et les filles s'étaient mises à glousser, une main sur leur bouche.

« Il pensait qu'on était des putes ! Tu te rends compte ? » m'avait dit ma sœur, et je me souviens de l'excitation dans sa voix, le rire aigu de Jill, leurs yeux brillants.

Dans la rue, en regardant le docteur Traub, j'avais ri, une sorte de hoquet rageur. Qu'espérions-nous, lui et moi, dans ce cabinet fatigué, avec ces fauteuils en cuir sur lesquels crissaient nos fesses, moi défoncé aux médocs et au hasch, lui, avec ses cheveux fuyants ? Que pouvions-nous saisir du mystère de la féminité ? C'était comme des signaux que l'on nous envoyait depuis une rive lointaine, un espace sauvage que nous n'atteindrions jamais.

Le docteur Traub m'avait tendu une boîte de Kleenex, dans un mouvement précis, et il me semblait que ce geste avait été répété un nombre incalculable de fois. Ses yeux regardaient au-delà de moi, on aurait dit qu'il songeait avec tristesse à ce monde où les femmes se transforment en poussière, et se dispersent dans le ciel, ou alors peut-être pensait-il à la sienne, de femme, qui s'obstinait à rester là, alors qu'il aurait voulu, le matin, retrouver sa chemise de nuit rose pâle au pied du lit, une flaque de tissu dans laquelle elle se serait dissoute.

Je regardais son visage poupin, ce hâle qui m'évoquait du jambon sous vide, et tandis que je me mouchais, je m'étais mis à rire, à nouveau, comme cette espèce de dément que j'étais devenu.

Summer est assise, dans la cuisine des Savioz, elle porte un col roulé jaune. Elle boit un Ovomaltine. Elle a onze, douze ans peut-être. Marina Savioz, sur la pointe des pieds, dans une robe en laine qui moule son corps, un peu trop – je ne peux pas la regarder, cette douleur dans mon bas-ventre, comme si un cœur, gorgé de sang, y battait –, attrape sur la pointe des pieds un paquet de gâteaux dans un placard, au-dessus de nos têtes.

— J'aimerais bien vivre ici, dit Summer.

Je relève la tête, je la regarde, stupéfait, et en colère, et j'entends le rire de Marina, attendri (embarrassé ?).

L'été de sa disparition, j'avais parfois espéré, furtivement, que Summer s'était réfugiée chez les Savioz. Il m'arrivait de l'imaginer dans leur piscine, glissant dans l'eau, toujours jonchée de feuilles et d'insectes dont les pattes s'agitaient à la surface. Elle avait été creusée dans le fond du jardin qui ressemblait à une étendue sauvage – je n'ai jamais su si l'état de délabrement de leur maison était dû à une sorte de posture hippie ou à une capitulation face au temps et aux éléments –, bordée d'arbres sombres qui croissaient de façon anarchique. Summer adorait plonger dans cette piscine, dans des maillots de bain que lui prêtait Marina, trop grands, et échancrés. Je préférais jouer dans le jardin, ou lire des bandes dessinées dans la véranda, qui dégageait une odeur de mousse et de poussière.

Quelquefois, Franck, le fils aîné de Marina – elle l'avait eu avant de rencontrer Christian, son mari, c'était un sujet dont on ne parlait pas –, venait rejoindre ma sœur, et je les voyais faire des concours de poiriers ou de plongeons. Ils disparaissaient, sous la surface, retenant leur souffle pendant un temps interminable, immobiles, comme s'ils étaient morts. Ou ils s'asseyaient sur le bord du bassin, leurs pieds trempant dans l'eau, et elle tournait son visage vers lui, beau et terriblement mystérieux derrière ses lunettes de soleil à verres miroir. Ils restaient là, pendant une éternité, Franck avait seulement trois ans de plus qu'elle mais il semblait avoir déjà mené plusieurs vies. Il déposait délicatement une serviette sur ses épaules, qu'elle tenait ensuite comme une cape. Il lui apprenait à lancer un frisbee fluo qui finissait toujours dans les branches, ou ils discutaient face à face, en grattant la terre avec leurs doigts de pied, jusqu'à ce que des ombres se mettent à bouger sur la pelouse.

C'était peut-être pour Franck qu'elle aurait voulu vivre là ? Ou pour les bikinis de Marina, sur sa poitrine creuse ?

Un jour, alors qu'elle marchait, pieds nus dans l'herbe, dans un deux pièces qui bâillait sur ses hanches, et sur son torse, ma mère avait dit avec un sourire narquois : « Mais qu'est-ce que tu fais avec ce haut ? Il n'y a rien à cacher. » Summer avait croisé ses bras, comme si elle avait froid, ou qu'elle était toute nue. Je me souviens de son regard. On aurait cru qu'une femme adulte s'était glissée dans son corps de dix ans.

Avec le docteur Traub, nous sommes là, dans ce cabinet qui, avec ses plantes vertes mourantes, ses reproductions des années 80, semble aussi dépassé que nous, mais nous ne renonçons pas. Nous regardons en direction de pelouses où se jouent des luttes mortelles. Nous ressemblons à une belle paire de vaincus, frustrés, hors circuit, mais nous ne renonçons pas : nous cherchons Summer. Mes doigts tremblent, ceux du docteur Traub sont luisants et boudinés comme des saucisses d'apéritif mais nous lui confectionnons une robe diaphane, dans une étoffe souple comme du vent, en attendant qu'elle s'y glisse, quelque chose, son essence, son cœur, ou ne serait-ce que le souvenir, tout ce qui reste de son passage dans nos vies.

Ils m'avaient demandé si j'avais remarqué quelque chose de particulier, ce jour-là. Si Summer semblait nerveuse, préoccupée. Si elle avait parlé à des inconnus. Si elle avait prononcé des mots qui, *a posteriori*, prenaient tout leur sens. (Dieu sait ce qu'ils imaginaient).

Si je me souvenais de quelque chose.

N'importe quoi.

Elles m'attendaient, toutes les quatre, dos à la palissade.

Appuyées nonchalamment sur leurs coudes repliés, dans l'air immobile, on aurait dit un gang s'apprêtant à passer à l'action.

Alexia faisait claquer son chewing-gum – rose, filandreux – en passant sa langue sur ses lèvres, Coco portait un minishort à fleurs. Le corps frêle de Jill était noyé dans une longue robe beige à bretelles, en coton froissé, qui lui donnait l'air d'une Quaker sexy. Un minuscule filet de sang coulait sur son mollet. Elle avait dû se couper en rasant ses jambes sous la douche, et il m'avait fallu lutter pour cesser de fixer ce carré de peau.

Summer avait levé les yeux au ciel en me voyant rappliquer, essoufflé.

— C'est bon, on peut y aller ? T'as fini de te maquiller ?

Elles avaient gloussé, et attrapé les sacs de provisions à leurs pieds, débordant de sachets de chips, de Coca, de serviettes en papier, d'emballages en carton non identifiés (des Tampax ?).

Voilà le genre de choses dont je me souvenais.

Que pouvais-je bien leur dire ? Ils étaient là, avec leurs regards implorants, des yeux de noyés – ma mère – ou méfiants, suspicieux, fouillant mon âme – mon père, la police –, m'interrogeant à voix basse, ou sur un ton faussement complice, comme si j'allais, soudain, déballer je ne sais quelle histoire de drogue ou de prostitution.

J'avais l'impression qu'ils me surveillaient. Je ne leur inspirais pas confiance (le psychologue qui m'avait interrogé avait inscrit dans mon dossier « tendance à la dissimulation »).

Que croyaient-ils ? Que je lui apportais des vivres, et des couvertures, la nuit, dans une cabane abandonnée ?

Que nous échangions des messages codés glissés dans le muret longeant la maison ?

Ma sœur et ses copines (Jill, la meilleure amie de Summer depuis la maternelle, Alexia et Coco, entrées dans nos vies beaucoup plus tard, à l'époque où Summer était devenue cette adolescente « à comportements à risques »), étaient pour moi aussi fascinantes qu'incompréhensibles. Elles se mettaient à rire, sans raison apparente, elles se parlaient à l'oreille, elles glissaient des choses dans le creux de leur main, s'enfermaient dans la salle de bains.

Elles m'autorisaient à passer du temps en leur compagnie, finissant souvent par oublier ma présence, pourtant, je ne savais rien. Malgré ma concentration, et leur bavardage constant, je n'ai jamais vraiment pu apprendre quoi que ce soit sur les sujets qui m'occupaient (la fellation, les qualités nécessaires pour être séduisant). Elles parlaient de garçons, très souvent même, mais elles les décrivaient la plupart du temps comme décevants, ou stupides, elles tordaient la bouche, en poussant des soupirs désabusés.

Quand j'entrais dans la chambre de Summer, et qu'elles étaient là, leurs jambes emmêlées, allongées sur la moquette, j'avais l'impression de pénétrer dans une serre exotique. Je respirais un air confiné, des parfums de fruits, qui s'échappaient de leurs cheveux, leur peau, mais aussi des zones les plus sombres de leur intimité. Je ne savais rien, et même si j'avais su quoi que ce soit, je ne l'aurais pas dit.

Un soir (où mes parents étaient-ils ? À cette époque, il me semble qu'ils avaient quasiment disparu), nous avions bu, et fumé de l'herbe, les quatre filles et moi. Il avait été question de déterminer qui embrassait bien – j'avais ainsi appris que rouler une pelle à Gregory Lazarre, un bellâtre aux cheveux longs, était à peu près aussi agréable que de se faire lécher la figure par un gros chien – et Coco (ou peut-être était-ce Alexia ?) avait soudain proposé que je leur attribue des notes.

Summer avait levé les yeux au ciel, mais, Dieu sait pourquoi, les autres avaient trouvé cette idée enthousiasmante. Tandis que ma sœur quittait la pièce (« je vais vomir »), elles s'étaient toutes les trois assises sur le canapé dans lequel je m'enfonçais comme dans une piscine gonflable. Chacune leur tour, elles avaient pris place à côté de moi, réordonnant leurs cheveux, tirant sur leurs vêtements en expirant profondément, comme avant une épreuve olympique. Tandis que les autres détournaient pudiquement le regard, elles passaient chacune leur tour les bras autour de mon cou, en approchant leurs lèvres, les yeux fermés.

Ensuite, il avait fallu décrire sans fin leurs points communs et leurs spécificités, ce qui était grotesque, sachant que je n'avais embrassé qu'une seule fille dans toute mon existence, en classe de neige, une petite brune maussade, qui ne m'avait ensuite plus jamais adressé la parole. « Alors Coco j'aime bien quand tu glisses ta langue entre les dents, là, tu vois, comme un petit serpent », « Alexia, toi, tu tournes très vite. Ça chatouille dans le dos ». J'avais essayé de ne pas rougir en évoquant la technique professionnelle de Jill. Elles écoutaient, penchées en avant, les yeux plissés par la concentration, en faisant « hhhhhm ». C'était la plus belle soirée de ma vie.

Voilà le genre de secrets que nous partagions. Bien sûr, nous buvions des alcools forts, gins tonic, whisky Coca, Malibu orange. Bien sûr, nous fumions des joints, mais Summer plutôt moins que les autres – elle prétendait que le shit la rendait paranoïaque. Un jour, je l'avais trouvée dans sa chambre, allongée sur son lit en sous-vêtements, plongée dans la lecture d'un article intitulé « Cannabis : quels effets sur le cerveau ? ».

Elle avait levé la tête, replacé la bretelle de son soutien-gorge.

— Ils disent que fumer peut réduire ton QI de plus de 10 points.

Bien sûr, Coco était cette fille capable de remonter son T-shirt, à la fenêtre en cours de biologie, montrant ses seins aux terminales qui couraient alors un 1200 mètres, ce qui lui avait valu dix heures de colle, et des lettres anonymes, qui mêlaient insultes et déclarations d'amour. Il y avait aussi un bruit qui courait : Alexia aurait couché avec les frères Damiani, dans leur chambre à l'internat, les deux à la fois, ils auraient fait une « brouette espagnole », (des images troublantes de figures acrobatiques m'apparaissaient, dans le noir, mais tout cela demeurait mystérieux, comme pour nous tous d'ailleurs ; je pense aujourd'hui que personne n'avait la moindre idée de ce dont il s'agissait).

On racontait aussi des choses sur Summer et Jill, mais rarement en ma présence, et même si j'entendais quelquefois leurs prénoms – à la cantine, dans le brouhaha des rires et des couverts, ou dans les couloirs, des chuchotements brusquement suspendus quand je m'approchais –, je n'y prêtais pas attention.

Il y avait beaucoup de rumeurs, à cette époque-là. Il semblait que notre existence dépendait de la place que nous occupions dans les conversations et l'imaginaire des autres.

Il n'y avait rien à dire sur elles, il y avait beaucoup à dire sur moi. Voilà la sensation qui m'habitait, cette anxiété permanente, proche de la terreur, face à ce policier qui me fixait, sans jamais cligner des yeux, comme s'il voyait à l'intérieur de moi, ou face à mon père, qui était devenu cet étranger fébrile, inquiétant. Un soir, il était entré dans ma chambre, en courant, il m'avait pris par les épaules, d'abord tendrement, puis s'était mis à me secouer, avec une sorte de rage désespérée, en répétant « Elle est où ? Elle est où ? », et il avait fallu que ma mère, apparaissant soudain à la porte, lui dise d'arrêter ça, avec une voix haut perchée, que jamais nous n'avions entendue.

Comment pouvaient-ils imaginer ? Le pathétique quotidien d'un adolescent ingrat – torse rachitique, longues jambes maigres, cheveux sombres luisants – avec ce mal mystérieux, honteux, qui a pris possession de son corps, sursauts incontrôlables – tressautement de l'épaule gauche, comme toujours, et désormais, soulèvement frénétique des sourcils, et, pire, décrochement de la mâchoire, vers la gauche, comme si quelque chose le démangeait horriblement. Pouvaient-ils comprendre que cette lutte était si épuisante, nécessitait une concentration si intense, qu'aucune information extérieure n'était jamais vraiment mémorisée ? Connaissaient-ils cette impression d'abriter, quelque part, tout au fond de soi, quelque chose de visqueux et d'hirsute, qui pourrait surgir en pleine lumière, on ne sait comment, mais cette chose en est capable, elle n'attend même que cela, et ce jour-là, il faudrait alors disparaître pour toujours ?

Connaissaient-ils cette présence, comme une ombre, un oiseau noir, aux ailes immenses, quelquefois très loin, petit point sombre haut dans le ciel, quelquefois frôlant vos cheveux, dans un battement d'ailes silencieux ?

Ce jour-là, on avait joué à cache-cache. Coco avait recouvert ses yeux de ses mains, et s'était mise à compter à haute voix, appuyée contre un tronc. Quand mon père avait voulu que je lui montre « l'endroit », avec cette expression de souffrance et de colère mêlée, j'avais cherché ce tronc en vain, on aurait dit que le paysage s'était redéployé, à la façon d'un animal qui aurait bougé dans son sommeil.

Les filles s'étaient dispersées. Elles avaient filé, à grandes enjambées (étaient-elles conscientes de la grâce avec laquelle elles habitaient leurs corps ?). J'avais couru, moi aussi, je m'étais retourné, et Summer, au même moment, m'avait fait un petit signe de la main, ou peut-être était-ce juste un geste pour chasser les moucherons qui tournoyaient autour de son visage, puis elle s'était enfoncée dans des herbes qui lui arrivaient à la taille.

Si je suis honnête, et il faut bien, désormais, que je m'y attelle, au moins cela, en dépit du sentiment de honte et de la fatigue stupéfiante, comme si un corps mort était posé sur mes épaules, quand je repense à ce jour-là, eh bien, il ne reste rien.

J'avais progressé dans la forêt, pour trouver un coin tranquille, où je pourrais fumer le joint que je roulais entre mes doigts, dans la poche de mon bermuda. J'y avais pensé, de façon obsessionnelle, depuis l'instant même où j'avais rejoint les filles, en marchant à côté d'elles, et me sentant idiot, bizarre, comme à chaque fois que j'étais en leur compagnie, cette voix dans ma tête, qui alternait les sarcasmes, « tais-toi abruti » ou « dis quelque chose, bordel ».

Les filles avaient étendu un grand plaid à frange sur un surplomb terreux, à l'ombre – ce surplomb que je serais ensuite incapable de retrouver, marchant dans une direction, puis revenant sur mes pas, avec la panique qui me submergeait, et mon père qui peinait à garder son calme, passant nerveusement sa main sur son visage. Elles s'étaient allongées, gracieusement, ou assises en tailleur, encerclant les canettes de Coca et de bière, les chips, et le radiocassettes d'Alexia, comme des naufragées.

Elles avaient évoqué leur choix pour la rentrée universitaire (Sciences politiques pour Summer, Lettres pour Coco, Pharmacie pour Jill, il était question pour Alexia de « rejoindre Gregory à Paris »). Elles avaient toutes passé leur bac, quelques semaines auparavant, et j'étais stupéfait par l'indifférence avec laquelle elles envisageaient ce passage à la vie étudiante, on aurait dit qu'elles s'en fichaient, même Summer et Jill, que j'avais vues si souvent, assises par terre, le front soucieux, au milieu d'un océan de classeurs et de livres.

Au moment où Summer se fondait dans la forêt, devenant un nuage de lumière et de vide, je flottais quelque part, dans un coin sombre de la végétation, uniquement préoccupé par moi-même.

J'étais resté là, assis sur un tapis d'aiguilles, les genoux relevés devant moi – cela avait-il duré deux minutes ? deux heures ? –, sans le regard des filles posé sur moi, leurs yeux comme des rayons laser.

J'avais fini par revenir, défoncé, le chemin m'avait semblé long, comme s'il s'était étendu durant ma pause, avec la sensation stupide que la vie était un peu moins effrayante qu'à l'aller.

Puis je les avais vues, toutes les trois, regardant chacune dans une direction, telles des vigies indiquant les points cardinaux.

— On a perdu Summer, avait dit Coco, la voix tendue. On l'a cherchée partout, on la trouve pas.

Alexia, les mains de chaque côté de sa bouche, criait « Su-mmer », d'une voix traînante, à intervalles réguliers, tandis que Jill demeurait amorphe, ses bras entourant ses épaules, comme si elle grelottait.

Elles avaient ensuite couru, dans tous les sens, disparaissant derrière les arbres, puis réapparaissant furtivement, et tandis que le vent portait vers moi leurs voix aiguës, aux accents de plus en plus désespérés, appelant ma sœur, j'étais resté là, absent à la scène, et à la vie, tandis que montait en moi la certitude que c'était arrivé, ce moment que j'attendais depuis toujours, l'effondrement de cet édifice de papier que constituaient nos existences.

« Concentre-toi, Benjamin, fais attention, pense très fort aux muscles de ton visage, et à tes épaules, tu peux y arriver ». (La voix autoritaire de papa, léger tremblement trahissant la contrariété.)

Ou alors (dissimulant sa tension derrière un sourire horizontal, inquiétant) : « C'est pour toi que je dis ça, Benjamin, si tu fais ces grimaces, les autres enfants vont avoir peur, ou te trouver bizarre, et ils finiront par t'éviter. Et tu as envie d'avoir des amis, n'est-ce pas ? »

Cette phrase, sur laquelle reposait toute sa conception de l'existence : « Fais un effort, bon sang. Qui veut, peut. »

Bien entendu, quand mon père commençait à me parler de mes tics, (jamais maman ne les évoquait, quand papa faisait une remarque à table – et cela arrivait, mon Dieu, dès que l'on dînait tous les quatre, il y avait toujours ce moment où il commençait à s'agiter sur sa chaise, posant ses couverts de plus en plus bruyamment, et s'exclamait « par pitié, Benjamin, arrête ça », et maman se levait, et rapportant un plat à la cuisine, ou soudain prise dans une de ses rêveries, elle semblait avoir quitté son corps, seule son enveloppe continuait de se mouvoir délicatement), les effets étaient toujours catastrophiques. Je me concentrais de toutes mes forces, oubliant de respirer, les muscles contractés, je tenais un instant, et puis, comme une provocation, mon sourcil, ou mon épaule, finissait toujours par se soulever à toute vitesse.

Il y avait aussi « les expéditions entre hommes ». Rien que d'y penser, je sens une douleur dans ma nuque, la pression d'une main fantôme.

Nous allions au club de tennis, sur les bords du lac, nous montions dans la voiture, j'avais l'impression que le monde entier nous regardait, et c'était le cas d'ailleurs au feu rouge, je voyais les visages des passagers des autres voitures penchés vers nous, leurs yeux inquisiteurs.

Il était déroutant, peut-être aurais-je trouvé cela touchant, si je n'avais été ce garçon maussade, sournois, « léthargique » avaient-ils dit au conseil de classe, de voir avec quelle énergie mon père s'acharnait à m'initier au sport.

Des amis nous attendaient en plein soleil sur le court. Leurs silhouettes se découpaient de façon spectaculaire dans le bleu du ciel, leur raquette tournoyant entre leurs doigts. Ils semblaient si vivants, si satisfaits, (toute cette vitalité/testostérone, sautillant d'un pied sur l'autre, penchés en avant pour mieux guetter la balle, se tapant l'épaule, en passant, pour se congratuler), dans cette lumière si vive, qui mettait les âmes à nu, sans ombre pour se cacher. Ils riaient quand papa s'exclamait « allez, minus », tandis que je boitillais, une main sur le flanc pour contenir un point de côté.

J'avais besoin de me réfugier dans les vestiaires plusieurs fois par match, pour retrouver mon calme dans la pénombre des urinoirs, faire couler l'eau glacée du robinet, ou fixer longuement l'émail des lavabos, où trônait une chaussette humide, ou un déodorant abandonné, en plissant les yeux jusqu'à ce qu'ils deviennent flous, des taches de couleur mouvantes.

Je devais parfois faire des parties contre Jean-Philippe Favre, le fils de Patrick Favre : même sourire franc que son père, même carrure athlétique, « faits dans le même moule », disait mon père, et je sentais une pointe d'amertume dans sa voix, comme s'il s'adressait aux forces supérieures qui m'avaient conçu.

Je redoutais Jean-Philippe. Il semblait étranger à l'idée même de tourment, il était là, de plein pied dans la vie et l'instant, tandis que j'étais ce type bizarroïde roulant du gravier entre ses doigts, appuyant sur la pulpe pour se prouver qu'il est bien là, un corps matériel appartenant à ce monde, et non une entité gazeuse sans contours, des particules plus invisibles que l'air lui-même.

Un jour, alors que nous nous changions dans les vestiaires, il avait aperçu la tache bleue sur ma hanche, juste au-dessus de l'élastique de mon caleçon. Je lui avais avoué que je m'étais tatoué avec un stylo plume, en enfonçant la mine sous la peau.

— C'est cool, avait-il dit, impressionné, en sautillant pour enfiler son jean.

Ce jour-là, Jean-Philippe m'avait adressé un clin d'œil en remontant dans la voiture de son père, transpirant le luxe et la conviction du pouvoir, et papa avait posé sa grande main puissante sur mon cou.

— Je suis fier de toi, tu sais.

Aujourd'hui, à trente-huit ans, le tatouage est toujours là, une sorte de magma bleu, sur mon flanc gauche. Pendant toutes ces années, seul Jean-Philippe Favre connaissait l'histoire du stylo plume, ce qui est tristement comique, sachant qu'à partir du jour où il a découvert ma nature rebelle (masochiste/tarée ?), nous n'avons plus jamais vraiment parlé. Lors des pique-niques à la maison, son regard me traversait, et je le voyais ricaner avec d'autres garçons sur la plage de galets, en finissant les verres de punch. Il était le seul à savoir ce dont j'étais capable (Dieu merci, il n'avait jamais vu les griffures que je m'infligeais, assis en slip sur la cuvette des toilettes, avec les tiges en osier, effilées et coupantes, du panier à linge sale). Le seul avant les filles, des années plus tard, quand j'ai commencé à avoir cet étrange succès, comme un pouvoir d'attraction malsain, Dieu sait ce qu'elles cherchaient. Pénétrer la sphère du malheur ? Toucher du doigt une célébrité morbide ? (Elles passaient leurs doigts sur la tache bleu délavée ou m'embrassaient avec avidité, les yeux grands ouverts, comme si elles voulaient avaler mon âme).

S'ils savaient. Ceux qui nous regardent, depuis toutes ces années, émoustillés par le chagrin et la déchéance, qui nous ont si longtemps scrutés, enviés, adorés, tous ceux-là, s'ils savaient, s'écrieraient, horrifiés : « Bon Dieu mais quel genre de parents laissent leur enfant de sept ans se mutiler ainsi ? Il y a quelque chose qui n'allait pas, dans cette famille. Comment s'étonner que ce soit arrivé ensuite ? » Mais c'est parce que personne, pas même mes propres parents qui s'évertuent à me transformer en champion de tennis (refusant de voir que cela n'arrivera jamais), ou à essayer de m'aimer (sans y parvenir) autant que Summer, adorée de tous, première de sa classe (je serai bientôt diagnostiqué dyslexique, même pas foutu de distinguer un t d'un d), absolument personne ne peut soupçonner ma vraie nature. Mes tendances malsaines à la dissimulation, mon âme malade, ma fascination pour le mal et la douleur.

Après la séance de tatouage, l'inflammation était si spectaculaire, que pendant quelques jours, j'étais persuadé que j'allais mourir, comme dans ce western où le héros blessé par une flèche d'Indien pourrit de l'intérieur, une main posée sur sa chemise ensanglantée, dans un canyon vaste comme l'au-delà. Le soir, je repoussais, dans l'obscurité, les draps dont je ne supportais plus le contact sur ma peau, et, en proie à une sorte d'exaltation fébrile, raidissais mon corps tel un cadavre. J'avais élaboré une technique sophistiquée pour me changer, à toute vitesse, quand ma mère faisait couler mon bain (« avec de la mousse », je demandais, professionnel de la rouerie). Je pensais à la stupeur de ma mère, quand elle me trouverait mort dans mon lit, et au cercueil tapissé de tissu synthétique au-dessus duquel elle se pencherait pour m'embrasser une dernière fois, avant de s'abandonner à une culpabilité et un chagrin éternels.

Voilà le genre de choses auxquelles je pouvais penser.

Il m'a fallu longtemps, peut-être même jusqu'à ce que je respire cette odeur de peinture, dans ce bureau où je pense que je ne pourrai plus jamais remettre les pieds, alors même que je m'y suis rendu tous les matins pendant près de trois ans sans la moindre angoisse, il m'a fallu longtemps pour comprendre que le problème n'était pas autour de moi, dans le parfum fétide du lac, dans ces ombres qui bougeaient lentement sous la surface, mais à l'intérieur de moi.

Je me souviens de ce jour d'été, je dois avoir dix ans, nous étions partis sur le bateau d'un ami de mon père, et nous avions navigué jusqu'au milieu du lac, loin, beaucoup trop loin de la berge.

L'eau brille d'un bleu métallique, irréel, comme celui de la mer. Le clapotis des vagues, l'odeur de la crème solaire, le vent qui rabat nos cheveux dans nos yeux, tout évoque les vacances. À bord, tout le monde s'est déshabillé, et je sens l'angoisse monter. Mon père me regarde, je reste là, avec mon T-shirt, enfoncé dans la banquette de skaï blanc. Je ne bouge pas.

— Qu'est-ce que tu attends, Benjamin ?

Je hausse les épaules.

Je refuse de me baigner. Sous la surface vivent des créatures terrifiantes. Elles se déplacent sans bruit, leur peau est lisse, comme des ailes de chauve-souris, elles nous observent, lorsque nous nageons, leurs yeux suivent les mouvements de nos jambes, dans l'eau huileuse du lac. Je sais qu'il y a des villes troglodytes, façonnées dans les falaises de glaise, où vivent des êtres aveugles, des hommes dont on aurait effacé le visage. Franck, le fils de Marina Savioz, m'a raconté que près d'une centaine de plongeurs disparaissent chaque année dans le lac (« plus que dans toute la Méditerranée ! »), que c'est parce que ses eaux sont noires et froides, mais moi je sais que ce sont les créatures du lac qui les ont attirés vers le fond, avant de traîner leurs corps dans des grottes secrètes comme les ténèbres.

Je sais aussi que la ville de Genève est reconstituée, quelque part, là où le lac atteint plus de 300 mètres de profondeur, chaque bâtiment s'y dresse à l'identique, mais les façades y sont couvertes d'algues et de coquillages, des stalactites de boue pendent aux fenêtres.

Il y a là-dessous tout un monde, comme le nôtre en négatif.

Plus terrifiant encore : la désinvolture, l'arrogance avec laquelle nous, les humains, considérons que cet espace est le nôtre. Nous oublions que nous nageons dans une gigantesque mare, une flaque d'eau croupie, ou tout ce qui y est balancé pour être oublié – des machines à laver, des vélos, des *cadavres* ? – y demeurera pour toujours, aucun courant ne les emmènera au loin, pour les polir et les dissoudre. Nous vivrons avec, pour toujours, ils seront fossilisés dans la boue, et avec le temps, ils deviendront plus imposants encore.

Je regarde mon père, et tous les autres qui sautent dans l'eau, depuis le pont du bateau. J'entends leurs cris joyeux. Je ne bouge pas.

Il s'impatiente, je le vois, il sourit, mais sa mâchoire est crispée. Soudain, il se jette sur moi, m'arrache mon T-shirt tandis que je me débats, mais il est fort. Il me jette par-dessus bord, et j'entends les rires de Summer et de ma mère. L'eau est glacée, elle rentre dans mon nez et ma bouche, je me débats pour remonter à la surface, et l'espace d'un instant, je pense que je me noie, c'est si facile de mourir, me dis-je en avalant encore de l'eau.

Mais je crève la surface, et je suis seul dans l'immensité qui tangue.

À bord, des silhouettes sont penchées vers moi, leurs visages effacés par la lumière, ils me crient des mots que je n'entends pas. J'essaie de ne pas regarder vers le fond, j'ai l'impression de sentir une présence, des yeux qui me regardent, en dessous, et je me précipite sur l'échelle pour remonter sur le bateau.

Cela ne m'empêche pas de les aimer. Le soir, ils évoquent ma tête quand papa me balance dans l'eau, et en dépit de la terreur au fond de mon cœur, je ris avec eux.

J'aurais voulu être avec eux pour toujours.

J'offrais des petits verres à ma mère qui les collectionnait. Je les achetais dans le magasin d'antiquités, près de la maison, après d'interminables hésitations angoissées – sur le chemin du retour, j'étais transporté de joie, et d'impatience, avec l'impression que tout allait s'arranger.

Pourtant, ma mère ne semblait jamais vraiment heureuse, ou alors les premières années, mais ensuite elle souriait, sans écarter les lèvres, en examinant le verre que j'avais choisi amoureusement pour elle, gravé de fleurs, de feuilles, ou d'initiales calligraphiées de jeunes filles mortes. Elle les rangeait dans une vitrine, de façon mécanique, comme si elle y enfermait des rêves abandonnés. Un soir, elle avait dit, sans rire, à une de ses amies penchée au-dessus du meuble, une coupe à champagne contre son cœur : « Sacrée collection, non ? Il suffit de les compter pour connaître mon âge ».

Et puis, ils avaient disparu. Remplacés par l'*Encyclopedia Universalis*, en cuir bleu, de mon père, dont on avait empilé les exemplaires, de tout leur long, pour les faire tenir dans un espace tout à fait inadapté.

Il était difficile de contenter ma mère, et je savais confusément que c'était de ma faute.

C'était comme un parachute de draps blancs qui enflait dans l'air, puis se dégonflait, retombant pesamment sur nos épaules, avant de s'élever à nouveau, tendu, au-dessus de nos têtes.

Elle avait eu l'espoir, semble-t-il, que ma sœur lui apporte cette chose impalpable dont elle rêvait. Petite, Summer était le portrait de ma mère enfant, la même chevelure dorée, la même peau blanche, qui captait si parfaitement la lumière. Elles avaient posé pour un catalogue de puériculture, on voyait ma mère, agrippant fièrement une poussette où est installée ma sœur, et l'on était frappé par leurs sourires identiques. J'adorais le feuilleter, et imaginer ma mère dans cette vie simple, faite de matériel en plastique bariolé, ces épisodes qui n'avaient jamais existé, qui semblaient inimaginables, quand on la voyait descendre les escaliers en manteau de fourrure, paupières fumées, à petits pas prudents sur ses talons hauts.

« On dirait deux sœurs », s'exclamaient les copains de papa, en les voyant s'avancer sur le gravier en tenues légères, et maman rosissait, en replaçant une mèche qui s'échappait de sa queue-de-cheval.

C'est vrai que maman ressemblait à une adolescente, avec sa silhouette fine, sa façon de fumer, un certain goût pour la provocation. Comme quand elle disait très fort, juste à côté de l'homme qui venait de me traiter d'enfant mal élevé, à la pharmacie, « Tu sais comment on appelle les gens comme ce méchant monsieur ? Des gros cons, mon chéri. » (Elle souriait en disant ça, en articulant nettement pour être certaine d'être entendue de tous.)

Et puis, est venu le temps où quelque chose a glissé, ma mère ne regardait plus Summer de la même façon, elle ne l'emmenait plus faire les magasins, ne passait plus de coton imbibé de camomille dans ses cheveux pour les éclaircir.

C'était bien avant que ma sœur ne se mette à faire n'importe quoi, bien avant qu'elle ne sorte avec des garçons trop âgés pour elle, comme ce type d'Annemasse qui venait la chercher en Alfa Romeo, avec ses cheveux graisseux plaqués vers l'arrière. Bien avant qu'elle ne fasse toutes ces choses aberrantes, comme retrouver Alexia et Coco dans une salle de classe au milieu de la nuit, pour s'envoyer des shots de tequila, en s'éclairant à la flamme d'un briquet, (seule Jill semblait saisir la stupidité de la démarche, retourner la nuit dans un endroit d'où l'on voudrait s'échapper le jour), ou sniffer du poppers en survêtement, la tête dans un casier, avant le cours de sport.

Quelque chose a glissé quand Summer a commencé à grandir, d'un seul coup, qu'elle s'est mise à grossir, puis maigrir, et encore à regrossir, mais différemment. Il avait fallu lui acheter un soutien-gorge.

C'est peut-être à cette époque-là, mais au fond, je n'en sais rien, il semble juste qu'à un moment, ma mère n'avait plus trop envie qu'elles soient *comme deux sœurs*.

Un été, ma mère porte un bikini imprimé de motifs tropicaux, elle a glissé une fleur d'hibiscus sur son oreille, (où l'a-t-elle trouvée ?), elle est entourée des copains de ma sœur, des garçons, qui l'écoutent, les yeux brillants, raconter je ne sais quoi. Ma sœur est à l'écart, maussade, elle chatouille le gazon de ses orteils. Elle porte son justaucorps de danse, bordeaux, en lycra, en guise de maillot de bain.

J'entre dans la salle de bains, Summer (onze ? douze ans ?) tient dans sa main une chose ensanglantée, on dirait un bébé animal écorché qu'elle saisit par la queue. Elle me lance un regard horrifié, crie pour que je sorte. Je ne sais pas ce qui me terrifie le plus, ses yeux écarquillés, ou cette chose, dont on ne parle pas, qui s'agite au bout de ses doigts. Son ventre un peu trop rond, l'élastique de sa culotte comprime sa peau. (À cette époque, une menace semble peser sur les repas, ma mère regarde ma sœur mâcher, elle ne dit rien, mais je suis paniqué quand je vois Summer se pencher pour saisir le panier à pain, placé loin sur la table, comme hors de sa portée.)

Je dîne à la cuisine, seul, mon père est « au travail ». Et Summer ? « Elle a mal au ventre », dit maman, et dans sa voix, un léger – mais indéniable – sarcasme.

Comme d'habitude, on ne me dit rien, même Summer est inaccessible. Elle semble enfermée à l'intérieur d'elle-même, comme si elle n'occupait qu'un minuscule espace de son corps, qu'elle y était cachée. Elle écrit des poèmes en culotte dans son lit, cachée sous la couette avec son nécessaire de survie, Babybels, branches Cailler, radiocassette, ou des trucs secrets dans un carnet tapissé d'autocollants. Elle le ferme à l'aide d'un élastique. Elle me dit avec l'air conspirateur d'un agent du renseignement : « Je laisse un cheveu à l'intérieur, si quelqu'un l'ouvre, je le saurai ». Je note qu'elle n'imagine pas que ce fourbe individu puisse être moi, puis qu'elle me confie ses techniques de contre-espionnage – à moins que cela ne soit un avertissement, une menace ?

Parfois, elle reste couchée tout le dimanche, à gémir doucement, ses cheveux seuls émergeant des draps. Ces jours-là, ma mère est nerveuse, de mauvaise humeur. On dirait qu'un courant électrique les relie, ma sœur et elle, un câble invisible qui passerait sous la moquette des chambres, sous le gazon parsemé de pâquerettes et de boutons-d'or qui ont surgi d'un seul coup, comme si tout s'était mis à bourgeonner, nourri par une force souterraine, un flux bouillonnant, qui s'apprête à déferler sur nous ; à moins que cela n'ait déjà eu lieu, qu'il ne soit déjà trop tard.

Il y avait aussi la tache rouge sombre, laissée par ma sœur sur le canapé blanc du salon, et celle encore plus angoissante, comme une mare de boue, sur sa chemise de nuit – le lendemain matin, elle était en boule, au fond de la poubelle de la cuisine. Je lui en voulais : elle allait mourir, elle avait une maladie, quelque chose de terrible et de honteux, dont elle était responsable, d'une façon ou d'une autre.

Ma sœur avait frotté le coussin avec une éponge imbibée d'eau de javel, avant que mes parents ne rentrent, mais une auréole de la taille d'une pièce de cinq francs suisses y demeurerait pour toujours.

Les années qui suivirent la disparition de Summer, je m'asseyais systématiquement sur la trace rose pâle, surmontant un vague sentiment de dégoût, comme pour la dissimuler aux regards de mes parents. Alors que nous étions assis dans le salon, ma mère, mon père et moi, tenant des conversations de plus en plus éparses, je pensais à elle, dont la seule trace parmi nous était cette auréole délavée que nous ne pouvions effacer, alors que tout le reste, absolument tout, avait disparu.

Je n'ai jamais su s'ils l'avaient remarquée, cette tache, bien que cela soit probable, tout était si parfait dans notre maison, si impeccable.

Personne n'en parla jamais.

Au fond, tout cela pourrait aussi bien n'avoir jamais existé, ces images qui resurgissent de la vase où elles étaient enfouies ne sont-elles pas grossies, déformées, par le trouble (gêne/répulsion/terreur) d'un garçon de sept ou huit ans qui envisage l'existence sous son angle le plus tragique ?

Une fille disparaît-elle parce qu'un été sa mère a oublié de lui acheter un maillot de bain ? Se dissout-elle dans l'air parce qu'elle l'a giflée le jour de ses premières règles, comme me l'avait confié Jill, bien plus tard ? (« C'est une tradition, m'avait-elle expliqué, impassible, en allumant une cigarette, la mère donne une claque à sa fille qui devient une femme. » Elle avait ajouté, d'une voix sans émotion : « ça doit être un truc français. »)

Qui s'évapore, dans ce monde ?

Cela n'arrive pas, ou seulement dans ces familles maudites, dont le membre le plus inoffensif (et insignifiant), à force d'imaginer le pire, et de projeter sur autrui l'ombre dont il est fait, finit par provoquer ce qu'il redoutait le plus au monde. Il a le pouvoir de créer les drames qui naissent dans son cerveau dérangé, ils s'échappent de lui de la même façon que le sang s'écoule du corps de sa sœur, sombre, intarissable.

Les jours qui suivirent la disparition de Summer, Coco, Alexia et Jill semblaient avoir emménagé à la maison. Elles fumaient des cigarettes, autour d'un plateau de rafraîchissements, ou marchaient dans le jardin, bras dessus bras dessous, en fixant l'horizon. On aurait dit des convalescentes, à qui l'on avait recommandé une promenade quotidienne. Elles étaient là, autour de la table en fer forgé, debout dans le gazon, ou formant un cercle bienveillant autour de ma mère, et seules leurs changements de tenue indiquaient le passage du temps (même si Jill s'obstinait à ne pas quitter sa robe de mormone, l'idée même d'en choisir une nouvelle constituant une trahison, un signe insupportable de vanité).

Elles se tenaient debout face au lac, on avait l'impression qu'elles attendaient une nouvelle qui viendrait du large. Elles jouaient au ping-pong mollement, ramassant la balle au ralenti. Elles s'allongeaient sur l'herbe en regardant le ciel, et leurs corps inertes côte à côte évoquaient un rituel mystérieux, ou un alignement de cadavres.

Elles avaient l'air fatigué, les yeux creusés, leurs lèvres mordillées par l'angoisse. Elles ressemblaient à de petites filles égarées, constamment au bord des larmes, elles éclataient d'ailleurs en sanglots, sans prévenir, et partaient en courant se réfugier dans la maison.

Durant ces quelques jours, aussi longs et lents qu'un été, elles s'adressèrent à moi comme à un égal. Nous étions, elles et moi, liés par une faute que nous ignorions mais qui nous entourait, un nuage de cendres, une auréole de lumière noire. Elles me serraient dans leurs bras, passaient une main distraite sur ma joue, et j'avais la sensation de faire partie de quelque chose, une entité indestructible, pour la première fois de mon existence.

Les amis de mes parents venus nous rendre visite essayaient de les approcher, mais les filles étaient peu loquaces, s'éloignant pour rester entre elles, loin des nouveaux arrivants, tout juste informés des événements. Il y avait de plus en plus de monde, dans le jardin, et ma mère, qui ne quittait pas ses lunettes de soleil, était constamment entourée. Elle était blême et impassible, au milieu de ces femmes à la peau bronzée, qui lui parlaient en chuchotant, en agitant leurs bras où scintillaient des rangées de bracelets. Nous étions ailleurs, et les mots de réconfort que l'on nous adressait nous parvenaient déformés, comme recouverts par le vent. Les autres n'étaient plus que des points à l'horizon, des fourmis s'agitant dans une dimension à laquelle nous n'appartenions plus, ou alors seulement par intermittence, quand tout à coup, nous reprenions espoir, et que nous réussissions à croire que tout cela n'était qu'un malentendu. Bientôt nous nous moquerions les uns des autres, sous le regard éberlué de Summer qui s'exclamerait « Vous avez vraiment cru que je ne reviendrais pas ! Mais c'est horrible ! », et elle secouerait la tête, incrédule et contrite.

Mon père et ses amis, qui paraissaient plus forts et musclés que jamais, montaient dans leurs voitures, les portières claquaient, les moteurs rugissaient, on aurait dit une équipe s'apprêtant à donner une leçon à une bande rivale. On ne les entendait pas rentrer, mais, tout à coup, ils étaient là, dans la cuisine, ou debout sur le ponton, regardant le coucher du soleil, avec un je ne sais quoi d'avachi dans la posture, qui évoquait la défaite.

Les filles passaient des heures à côté du téléphone, allongées pieds nus sur le canapé, assises sur la moquette, les jambes écartées devant elle. Parfois elles tiraient les rideaux, et demeuraient là dans la fraîcheur de l'obscurité, silencieuses. Coco, ou Alexia, soulevait le combiné, comme si la réponse à nos questions était cachée à l'intérieur. Elles espéraient peut-être entendre la voix de Summer annonçant qu'elle était à Cadaquès, elle était partie sur un coup de tête, on aurait entendu de la musique derrière elle, et des conversations animées. Mais il n'y avait que le son strident de la ligne, et puis un souffle, un grésillement, un espace infini, dans lequel on pouvait plonger.

Les journées étaient longues et étouffantes. On pouvait parfois oublier ce que nous faisions là, dans le jardin, à contempler le lac, aussi immobiles que lui. Il était d'un bleu pâle qui semblait l'exact reflet liquide du ciel. Une sorte d'équilibre parfait, l'air et l'eau se réfléchissant l'un l'autre telles deux étendues stériles. Les rares nuages qui traversaient le ciel se défaisaient presque aussitôt, on avait l'impression qu'ils se désagrégeaient sous l'effet de la chaleur.

Un après-midi, les filles se déshabillèrent, debout sur le muret longeant le lac. Je les vis marcher sur les rochers glissants, en sous-vêtements, laissant derrière elles des petits tas de tissus colorés. Jill, qui portait des dessous en coton blanc, s'enfonça la première dans l'eau mousseuse, d'un vert sombre, là où personne ne se baignait jamais. Coco et Alexia la suivirent, avec un mélange de prudence et de détermination. Même de loin, je sentais leur énergie, cette chose irrépressible qui les attirait là-bas, un chant mélodieux, un éclat dans les profondeurs.

Elles nageaient lentement, les unes vers les autres, se déplaçant toujours ensemble, entourées de rubans de lumière scintillante, comme si elles flottaient dans une nappe de plancton, et soudain, j'avais ressenti une sorte de terreur, la sensation qu'elles allaient, elles aussi, disparaître.

Elles nageaient sans s'arrêter, avec des gestes gracieux, s'éloignant vers le large, et j'avais prié, les poings serrés, une sorte de négociation rapide et silencieuse, j'avais supplié que l'on me rende Jill, *prenez Coco et Alexia, mais pas Jill, par pitié*, et à cet instant, sans prévenir, quelque chose s'était fendu en moi.

Elles étaient restées longtemps, entre ce monde et un autre, plus séduisant, là-bas, juste sous l'horizon, tandis que je restais planté, à essayer de respirer, debout sur le muret sur lequel j'étais monté sans même m'en apercevoir. Je voyais leurs corps allongés, faisant la planche, quelquefois l'une d'elles plongeait vers le fond, des mollets pâles battaient l'air, avant de disparaître, et mon cœur s'accélérait. Et puis la lumière changea, l'ombre obscurcit l'eau. Des nuages épars enflaient dans le ciel d'un gris devenu métallique. Soudain, l'orage éclata, des rideaux de pluie sombre se mirent à strier l'air, heurtant la surface dans un claquement assourdissant. Les filles, petits points noirs dans l'eau noire constellée d'éclats brillants, nageaient vers le rivage. De loin, elles semblaient prises dans de l'acier fondu.

En les voyant grimper sur les rochers, grelottantes, leurs cheveux dégoulinant sur leurs épaules, je m'étais senti empli d'une gratitude démesurée, convaincu d'avoir été entendu par une puissance surnaturelle.

C'est à ce moment-là, tandis que Coco et Alexia filaient en poussant des cris, leurs mains au-dessus de leurs têtes pour se protéger du déluge, et que Jill finissait d'escalader le muret, c'est à ce moment-là que j'eus ce geste fou. Je me précipitai, sans réfléchir, et tandis qu'elle me lançait un regard surpris, presque effrayé, je saisis Jill par le bras, avec une force qui me dérouta et l'embrassai, comme jamais depuis je n'ai embrassé personne. Je me souviens de l'odeur d'algues de sa chevelure, et de celle de la pluie qui semblait s'infiltrer jusqu'au plus profond de nos os, l'eau du premier et dernier orage de l'été.

J'avais le sentiment d'être la pluie, l'herbe, le lac. Jamais plus je ne me suis senti appartenir à ce monde, comme à cet instant-là, quand sa bouche s'ouvrait sur la mienne, et que mon cœur, surgi des profondeurs, battait tout contre le sien, ventousé au coton trempé de mon T-shirt. Puis Jill s'était détachée de moi. Elle avait couru en direction de la maison dans la nuit. Derrière moi, je sentais le lac qui enflait, comme un poumon, ou un cœur démesuré.

À la maison, ma mère m'attendait avec un sèche-cheveux, qu'elle braqua sur moi avec une douceur inédite, sans rien dire. Les filles buvaient des bières dans la cuisine, je les entendais rire de loin. En les rejoignant, j'avais découvert avec stupéfaction que mon père était avec elles, debout, souriant, le visage détendu. Il avait cette expression que je n'avais vue que sur des photos de jeunesse, quelque chose comme un oubli de soi-même.

Elles portaient toutes les trois des pull-overs appartenant à ma mère. Coco, une serviette de bain vert pomme en turban, parlait avec agitation, en remuant gracieusement la main, d'où s'étirait la fumée de sa cigarette. Je voyais les visages de Jill et d'Alexia, l'éclat sombre de leurs cheveux humides, sous la lumière blanche qui tombait du plafond. Coco racontait qu'elle avait rejoint un garçon à Berlin en stop, elle était montée dans des voitures de conducteurs tous plus fous les uns que les autres, pervers ou bourrés, et une fois arrivée à destination, le garçon sortait avec une autre. Tandis que Jill et Alexia gloussaient, captivées, mon père avait eu un geste insensé : lui qui ne fumait pas – il avait, selon la légende familiale, arrêté après son stage d'avocat – avait saisi délicatement la cigarette entre les doigts de Coco, (elle s'était contentée de soulever la main pour faciliter son geste, comme s'il faisait ça tout le temps), puis l'avait glissée entre ses lèvres. Il avait aspiré si fort, que le bout de la cigarette avait rougeoyé, il m'avait semblé entendre le crépitement du tabac. J'avais eu la sensation étrange de découvrir une part secrète de la personnalité de mon père, quelque chose de doux et d'indécent à la fois, une part que personne n'aurait dû voir, et qui s'était échappée de lui, par inadvertance. Ce soir-là, quelque chose avait bougé dans l'univers, un déplacement minime, mais qui avait modifié profondément notre essence, on aurait dit que nous n'avions plus aucun contrôle de nous-mêmes, nous étions devenus si spontanés que c'en était terrifiant.

Jill avait surpris mon regard, et elle m'avait souri, complice, en haussant les sourcils, puis m'avait tendu sa bière, et j'avais éprouvé la joie intense que doivent ressentir les amants clandestins. J'avais eu l'impression de toucher ses lèvres en posant les miennes contre le verre froid de la bouteille.

Les filles avaient dormi à la maison, toutes les trois dans le grand lit de la chambre d'amis, que l'on appelait George-V, car mes parents y avaient accumulé les objets volés dans le palace parisien, un peignoir, des chaussons, un cendrier, une clé. Dans ma chambre, à l'autre bout du couloir, je sentais leur présence. Alexia était venue, en T-shirt qui tombait sur le haut de ses jambes nues, me demander du dentifrice. Elle m'avait suivi dans la salle de bains, et, sans le fond de teint ni le mascara épais qu'elle portait en permanence, elle paraissait beaucoup plus jeune. Ses yeux semblaient avoir rétréci, on n'y trouvait plus cette lueur de défi qui lui donnait l'air constamment provocant. Il y avait quelque chose de vulnérable dans la fadeur de ses cils. Quand elle s'était approchée, j'avais remarqué pour la première fois les taches de rousseur sur ses joues. Elle m'avait regardé, longuement, puis elle avait baissé les yeux sur le tube de dentifrice dans ma main, le contemplant avec mélancolie. Alors que je me demandais si elle allait se mettre à pleurer, en l'espace d'un battement de paupières, elle avait disparu dans la lumière qui s'écoulait du couloir.

Cette nuit-là, je n'ai pas dormi. L'obscurité dessinait des ombres mystérieuses sur les murs, et la moquette. Ma chambre était emplie d'un air humide, l'esprit du lac flottait là, il entrait dans mes poumons, y déposait un tapis végétal enivrant.

J'avais l'impression d'entendre les filles chuchoter ou des pas dans l'escalier, une porte qui s'ouvrait. J'étais dans un état de fièvre, entre la veille et le rêve. Jill entrait dans ma chambre, elle se glissait dans mon lit. Elle ne portait rien, ses longs cheveux noirs déployés sur ses seins blancs, et sans un mot elle collait son corps contre le mien. Ou elles s'approchaient toutes les trois, dans des chemises de nuit transparentes, en se tenant par la main.

Je voyais les images du passé, comme des diapositives projetées sur un drap, avec ces couleurs des choses disparues. Je voyais Jill pré-adolescente, manger une pêche, je me souvenais du choc que j'avais eu en la voyant saisir le fruit d'un geste si naturel, presque impoli, dans la corbeille trônant sur le comptoir de la cuisine, le jus qui coulait sur son menton, l'expression stupéfaite de ma mère. Je me souvenais d'elle dans la salle de bains, le pantalon baissé, avec Summer hilare, les mains devant sa bouche – elles avaient huit ou neuf ans. Ma sœur avait fini par m'avouer, bien plus tard, qu'elles avaient voulu voir « ce que ça faisait de mettre du dentifrice à cet endroit-là », et elle pointait sa culotte du doigt.

Le visage de Jill en gros plan, ses yeux sombres, dans lesquels on ne percevait jamais aucune émotion, juste une sorte d'indifférence paisible. Elle avait toujours été cette petite fille sage, raisonnable, dont le sérieux me semblait absolument fascinant, l'exact négatif de ma sœur. Ces dernières années, Jill finissait toujours par se retrouver dans des fêtes clandestines, dans des caves, des soirées qui tournaient mal, où la police débarquait, comme si, malgré elle, elle dégageait quelque chose de dangereux, fait pour la nuit et l'ombre, mais dont elle était absolument ignorante. Je me souvenais d'elle, à quinze ans, à la plage des Pâquis, en caleçon d'homme, les seins nus – elle était la seule, de toutes les copines de ma sœur, à oser le topless –, indifférente aux regards, lisant un roman sur la Grèce antique.

Toute la nuit, elle s'est faufilée dans ma chambre, en chuchotant des mots secrets, passant les mains sur mon visage. Les quatre ans qui nous séparaient n'étaient plus rien, c'était un pont au-dessus d'un précipice, et je l'avais franchi, la rejoignant de l'autre côté, dans une jungle luisante où elle m'attendait, ruisselante, comme si on l'avait tirée d'une chute d'eau par les cheveux.

Le lendemain, le ciel avait retrouvé sa clarté blême. Je m'étais réveillé avec, dans la gorge, une boule de poussière ou de plumes qui m'empêchait de respirer. J'étais descendu dans la cuisine avec le sentiment d'une catastrophe, quelque chose d'irrévocable et d'imminent, et j'avais trouvé ma mère, avec ses Ray Ban en plastique noir.

— Elles sont parties ? avais-je demandé.

Ma mère avait relevé la tête, l'expression de son visage aurait pu signifier n'importe quoi.

Peut-être ne se souvenait-elle pas de la nuit précédente, ni même qui j'étais, ce que je faisais là, dans sa cuisine, alors qu'elle contemplait le café dans sa tasse pour y déchiffrer notre avenir. Peut-être cette nuit n'avait-elle jamais eu lieu, c'était un rêve, l'un de ces rêves opaques qui s'insinuent en vous plus profondément que la vie ?

Ou peut-être avait-elle reçu ma question comme une flèche percute un oiseau en plein vol. Qui était partie ? De qui parlait-on ? De filles, de chair et d'os, dont les parfums flottaient sur les pull-overs qu'elles avaient abandonnés sur le dossier d'une chaise, dont les tasses trônaient juste là, dans l'évier, des filles que l'on pouvait appeler, et qui répondraient, dont on pouvait attraper la main ? Ou alors de l'autre ? Celle dont le visage surgissait soudain devant les yeux et se disloquait aussitôt, celle dont les traits avaient perdu de leur netteté, dont on ne pouvait déjà plus tout à fait se rappeler la voix.

C'est à cet instant, devant ma mère, son visage impénétrable et ses lunettes, que la honte a submergé mon cœur, et que l'oubli, ou l'apathie, ont tout recouvert. Il était impossible de repenser à la nuit précédente, cette faille dans l'espace-temps, où je m'étais mis à vibrer, et à ressentir un bonheur indécent, comme si Summer n'était pas partie, ou même n'avait jamais existé. J'aurais voulu que l'orage revienne, qu'il s'abatte et que l'eau monte, monte, jusqu'à nous engloutir, qu'il ne reste de nous que le matelas pneumatique sur lequel ma sœur s'allongeait, la peau luisante de crème solaire.

Le téléphone a sonné, sur le poste fixe, j'ai su aussitôt que c'était elle. Il n'y a que ma mère, ou des entreprises qui vendent des fenêtres, qui appellent sur cette ligne. Depuis que je prends ces anxiolytiques, et que je fume du shit aux heures de bureau, depuis que je ne m'habille plus, ou alors en survêtement, avec mes mocassins, ce qui me donne l'air d'un criminel en permission, j'ai développé une sorte d'intuition aiguë.

Je savais depuis le matin que ma mère allait téléphoner. Je sentais ses prières qui survolaient la ville. J'avais la sensation de les voir, voletant au-dessus du lac, du pont du Mont-Blanc, s'insinuant le long de la gare, dans les rues sales du quartier des Pâquis, et remonter jusqu'à moi, comme un vent rampant, ou les ombres que l'on voit détaler, la nuit, près de la supérette. À moins que cela ne soit les effets secondaires de cette nouvelle herbe, à la première bouffée, mon cerveau explose en une infinité de particules devant mes yeux, ou alors je suis juste en train de devenir dingue, c'est une possibilité. J'imagine que ces forces invisibles parlent aussi au type qui traîne pieds nus autour de la station-service, les yeux levés vers le ciel.

J'ai regardé le combiné, sur le plancher, et le fil qui s'enroulait jusqu'à la prise murale, je sentais sa présence à l'intérieur, comme une pulsation.

— Allô Benjamin ? Tu es là ! C'est tellement difficile de te joindre… (Silence.) Comment vas-tu ? (Voix faussement joyeuse, désinvolte.)

— Ça va, maman. Toujours fatigué.

C'est le seul mot que j'ai trouvé pour résumer mon état, ma nouvelle vie (déménagement dans un quartier réputé pour sa population de désaxés, arrêt de travail, désocialisation, incapacité à sortir, ou alors seulement pour rendre visite à mon psychiatre, ou acheter des cigarettes en jogging, addiction aux psychotropes). Pour expliquer que je vis dans un 27 mètres carrés aussi impersonnel qu'une chambre d'hôpital, mais où l'on aurait installé un adolescent psychotique – vêtements jetés à terre, cendriers pleins, bouteilles vides, mégots écrasés à l'intérieur.

— Non je ne peux pas venir vous voir, maman, non, ne viens pas non plus, s'il te plaît.

La fatigue, c'est ainsi que l'on qualifie à peu près tout, dans notre famille, tout ce qui implique le chagrin ou la honte.

Je sens l'appréhension de ma mère, à l'autre bout du fil. Je l'imagine, avec son maquillage parfait, lèvres rosées, fard à joues pêche, pull-over en cachemire, cette beauté plus élégante avec l'âge, son maintien parfait, qui tient toute émotion à distance, allumant une M.S., pour masquer son inquiétude.

Elle a peur, tellement peur, que je dise quelque chose.

Mais je ne commets plus ce genre d'erreur depuis longtemps. À une époque, j'étais convaincu que ma mère et moi partagions un mal secret, quelque chose de l'ordre de la défaite, comme si la vie dont nous rêvions était rangée dans un carrousel à diapositives et projetée sur un mur.

Quand elle est venue visiter mon studio – la seule fois où j'ai trouvé le courage de la voir, sans doute avais-je été, ce jour-là, victime une fois encore de cet incompréhensible mirage, l'illusion que nous sommes des êtres tendres, aptes au réconfort et à l'échange –, elle s'est assise sur le bord du lit, les genoux serrés, en souriant comme si elle passait un entretien d'embauche.

Je lui avais avoué qu'en feuilletant un magazine télé j'étais tombé sur la photographie d'Isabelle Adjani dans *L'Été meurtrier*, et, qu'aussitôt, j'avais voulu appeler Summer pour lui dire que son film préféré passait le soir même.

— Pendant quelques instants, j'avais oublié, tu te rends compte ?

Ma mère m'avait regardé, probablement stupéfaite d'entendre le prénom de sa fille, ce prénom que personne ne prononce plus jamais, maintenant que nous avons vécu plus d'années sans elle qu'en sa présence, il y avait eu un tressaillement dans ses yeux, puis elle s'était mise à rire.

J'avais regardé son corps frêle, la tasse sur ses genoux – « tu as du café ? » était la première phrase qu'elle avait prononcée en inspectant le studio –, et je m'étais senti honteux, et coupable. Elle semblait si minuscule, assise sur ce grand lit. Depuis quelques années, elle est plus mince encore, on dirait qu'elle n'est plus constituée que de vide, un être pur et vaporeux, plus léger que l'air. Une fois de plus j'avais l'impression d'avoir échoué, à la protéger, à la consoler de cette peine qu'il me semble voir, à l'intérieur de son poignet, là où la peau est si fine qu'elle vous serre le cœur.

J'avais ajouté, comme si je voulais m'assurer que ma mère comprenait bien de quoi il s'agissait, ou peut-être était-ce pour éprouver l'abîme, l'espoir irrationnel d'avoir une réponse.

— Je la voyais, maman, elle avait toujours dix-neuf ans.

Elle avait ri, à nouveau, ce rire mondain, automatique – le seul vestige, avec son addiction au tabac et à la caféine, du temps où elle était cette beauté nerveuse, dégageant des ondes électriques de tension et de désir.

Enfant, ce rire me terrifiait. Il surgissait de façon inappropriée, on avait l'impression que quelque chose ne fonctionnait pas dans son cerveau, comme si on avait par erreur interverti des branchements, et qu'ils n'étaient pas connectés aux émotions appropriées.

Il ne fallait jamais faire confiance à ce rire. Lorsqu'il y avait du monde à la maison, je l'entendais, de loin, qui se détachait du brouhaha.

Il y avait eu cette soirée, elle m'apparaît derrière une vitre recouverte de buée, ou de fins cristaux de glace. À la montagne, ma mère porte une combinaison pantalon panthère, et des talons tellement hauts que j'ai peur qu'elle s'enfonce dans la neige, et y disparaisse. Il y a du monde à la maison, leurs amis de Genève, mais aussi des hommes et des femmes que je n'ai jamais vus – mais d'où sortent-ils ? Ils encerclent mes parents, avec dans les yeux cet éclat, de l'amour ou de la soif.

J'ai six ans, je suis là, dans mon pyjama, invisible, implorant ma mère par télépathie. Je voudrais qu'elle vienne m'embrasser, qu'elle reste avec moi dans cette chambre où, la nuit, je pense aux avalanches qui pourraient nous engloutir. Peut-être qu'on nous trouvera au printemps, congelés et déshydratés dans nos lits comme des momies. La nuit, je lutte contre la panique, mais je sais que je ne dois pas me lever, la dernière fois que je suis entré dans la chambre de mes parents, mon père s'est mis en colère, il m'a emporté, comme un sac, sur son épaule – un instant, j'avais cru qu'il allait ouvrir la porte et me jeter dans la neige.

Ma sœur n'est pas là, elle est en voyage scolaire, ou ailleurs. Ma mère rayonne, entourée d'un halo électrique, je vois les regards envieux des femmes, leurs mains qui agrippent des coupes de champagne. Je veux m'approcher de maman, mais un homme lui chuchote quelque chose, il est penché sur son visage, beaucoup trop près.

Cette nuit-là, je me réveille, l'impression de sortir d'une plongée profonde, sous la glace. J'entends de la musique, et je me lève, en suivant la lumière qui provient du salon. Je n'ai jamais repensé à cette nuit, on pourrait même dire que je l'ai aussitôt effacée, et pourtant, je la vois, sur le sol, son peignoir ouvert sur sa poitrine, des taches de lumière gomment les détails, on dirait une pellicule endommagée mais j'entrevois une ombre, entre ses cuisses, ses yeux enflés. Puis mon père surgit, il porte une canadienne, il y a de la neige sur ses épaules, et dans ses cheveux – d'où vient-il ? il était dehors ? –, il s'agenouille pour la prendre dans ses bras, ma mère semble endormie. Il me crie quelque chose, mais je n'entends rien, le monde est devenu silencieux, puis tout s'évanouit et s'en va dans cet endroit inaccessible, quelque part dans ma mémoire, un trou d'eau glacée où la scène tourne en boucle, depuis toutes ces années, diffusant son filtre bleu-vert.

J'avais remis en marche la machine à café, ma mère lissait machinalement le coton de la couette, comme si elle voulait redonner un peu de tenue à l'ensemble, ou peut-être était-ce ses émotions qui s'écoulaient, entre ses doigts caressant le tissu. J'avais eu, l'espace d'un instant, la tentation folle de lui reparler de cette nuit, son peignoir défait, et le tube de disco italienne, qui m'a donné envie de pleurer quand je l'ai entendu au supermarché, il y a quelques années, mais cela aurait été briser le pacte qui nous tient tous debout – toutes les choses dont on ne parle pas n'existent pas.

Sans doute m'aurait-elle regardé sans comprendre. Quel fil invisible relie ma mère à cette jeune femme des années 80, allongée sur le sol, le visage bouffi de larmes, sa peau nue, aussi blanche que la neige par la fenêtre ?

J'imagine ma mère aujourd'hui, trouvant cette femme sur le sol de son living room. Je la vois observant avec embarras la créature obscène qui geint doucement. Elle lui semblerait sans doute aussi étrangère que Summer – je me demande parfois si, en croisant ma sœur dans la rue, nous la reconnaîtrions, elle aurait quarante-deux ans, mon Dieu, rien que d'y penser, c'est comme si une main plongeait en moi pour y arracher un objet caché, une racine dans la chair.

Ma mère n'aurait sans doute rien trouvé à faire, à part éteindre la musique, détourner le regard, et l'oublier aussitôt, comme toutes les filles perdues qui n'ont pas leur place dans nos vies ordonnées, non par égoïsme, ou par peur. Il s'agirait plutôt d'une sorte d'inhibition, le rempart qui nous sépare d'un monde sauvage. Ici les jeunes filles perdent leurs illusions en silence, derrière les portes closes de leurs chambres, entourées de mobilier en osier.

Ou peut-être ma mère aurait-elle ri ?

À l'autre bout du fil, j'entends son souffle, et puis soudain, elle me dit de sa voix la plus enjouée.

— Oh ! Tu sais sur qui je suis tombée, l'autre jour, à la pharmacie du Bourg-de-Four ? Jill ! Elle travaille là-bas, elle n'a pas changé, enfin, à peine. Elle est toujours aussi jolie.

J'entends son nom. Une pierre brillante dans un écrin de velours, ou enfouie dans la terre. Un œuf de porcelaine, caché dans une rivière.

Je serre trop fort le combiné, mes doigts me font mal.

Nous demeurons un instant silencieux, laissant nos parts secrètes se répondre, ou peut-être tenons-nous juste chacun notre trajectoire, et nous repoussons-nous l'un l'autre, dans une sorte de lutte aquatique.

— Elle a deux enfants, je crois. Enfin un ou deux, je ne sais plus ce qu'elle m'a dit.

Je sens une tension dans ma nuque, jusque dans mon dos, puis mon épaule qui remonte, plusieurs fois de suite, comme cela ne m'est plus arrivé depuis des années. Mon corps a retrouvé en un instant ses réflexes disparus, aussi naturellement que si je me réveillais d'une longue anesthésie, ou d'un sommeil de conte de fées durant lequel le temps se serait écoulé pour tout le monde, sauf pour moi. Ma mère dit encore quelque chose, je l'entends à peine, comme si elle s'éloignait. Nous avons essayé de quitter le passé mais rien n'a bougé, tout est exactement là où nous l'avons laissé, il y a vingt-quatre ans, aussi net et brillant que des morceaux de verre.

Après la nuit de l'orage, les filles ne revinrent plus à la maison. On aurait dit qu'elles avaient lancé un signal, car plus personne, ne vint nous rendre visite.

Depuis cette nuit où elle m'est apparue en T-shirt, les cuisses et le visage nu, pour me demander du dentifrice, je n'ai plus jamais revu Alexia. Je n'ai aucune idée de ce qu'elle est devenue, si elle vit quelque part, ou si elle s'est simplement disséminée dans le vent, un pissenlit sur lequel on aurait soufflé en prononçant un vœu.

Les amis de mes parents avaient disparu, eux aussi. Il y avait eu quelque chose avec Franck, il avait été convoqué par la police. Je supposais que c'était à cause de toutes ces choses qu'ils se disaient, dans cette piscine au fond du jardin des Savioz. Il ne m'était pas venu à l'esprit que l'on pouvait soupçonner Franck de quoi que ce soit, il avait sept ans de plus que moi, trois de plus que Summer, et il avait toujours été de notre côté. Il avait été notre baby-sitter autrefois, et durant ces soirées, j'avais été fasciné par son mélange de douceur et de fermeté (il nous avait laissés regarder *Le Lagon bleu*, ce qui était un acte d'une extrême transgression, mais ensuite, il avait fallu aller se coucher, et ni Summer, ni moi n'aurions jamais osé discuter. Du haut de ses quinze ans, il avait l'autorité d'un homme). C'était comme si le mystère de ses origines (appartenant à une vie antérieure et fascinante, à laquelle Marina faisait quelquefois référence, il était question de vie en communauté et d'amour libre, quelque part dans le sud de la France) lui avait donné la sagesse de ceux qui ont tout vécu très tôt, qui ont visité les ténèbres et en sont revenus. Un soir, chez les Savioz, alors qu'elles fumaient, assises sur les escaliers du perron où poussaient des herbes anarchiques, j'avais entendu Marina dire à ma mère que Franck était le portrait craché de son père, qu'il était difficile quelquefois de supporter sa beauté, et ses expressions, qui par un mystère de la nature étaient exactement celles de son géniteur. Elle avait peur qu'il ait hérité de tares biologiques, des failles enfouies, qui pourraient éclore à n'importe quel moment. J'avais été stupéfait d'entendre parler ainsi de Franck, qui était le garçon le plus flegmatique que j'avais jamais rencontré, et j'essayais, ensuite, de lire dans les cernes qui creusaient son beau visage de statue, la trace de dérèglements intérieurs, mais il ne montra jamais la moindre anormalité, contrairement à moi, qui consacrais quasiment toutes mon énergie à dissimuler mes dysfonctionnements. J'aurais voulu être Franck. Il semblait appartenir au monde, et diffuser une sorte de lumière qui le mettait au centre des choses, même lorsqu'il demeurait à l'écart, installé nonchalamment sur un transat, les mains derrière la tête, et que je surprenais les regards que lui lançaient ma sœur, mais aussi ma mère, comme si elles voulaient s'assurer de leur existence dans le reflet de ses lunettes de soleil.

Mon père s'était mis en colère, je l'avais entendu au téléphone, menaçant, criant de plus en plus fort. Il ne comprenait pas comment c'était possible, ils étaient totalement incompétents, il passait la main sur son front, le visage embrasé, on avait l'impression qu'il avait dormi avec sa chemise.

Il y avait eu une dispute avec Marina Savioz, dans le jardin. On n'entendait pas ce qu'ils disaient, mais elle était déchaînée, avec ses longs cheveux noirs qui battaient dans son dos, face à mon père qui paraissait désorienté, accablé. Soudain, il s'était affaissé, et Marina l'avait pris dans ses bras, de loin, je voyais son corps trembler, comme abandonné sur elle, et elle qui tanguait pour le maintenir debout.

Le jour de la dispute, Marina était venue m'embrasser. Elle m'avait soufflé dans l'oreille, « ça va aller », et je n'avais aucune idée de ce dont elle parlait, la santé mentale de mon père, l'héritage génétique de Franck, Summer qui allait revenir, ou ma vie, mais un instant, contre sa peau brûlante comme si elle avait passé sa journée allongée en plein soleil, je m'étais senti profondément soulagé.

Mais Marina et Christian Savioz ne revinrent jamais à la maison, et nous ne retournâmes pas non plus chez eux. On ne parlait plus d'eux, ni de beaucoup d'autres, qui sortirent de nos vies sans en avoir l'air. Le téléphone sonnait de moins en moins, mais lorsque ma mère avait croisé Carole Eberhart, chez le coiffeur, celle-ci l'avait serrée longuement dans ses bras. Une autre fois, elle avait rejoint des amies au golf, leurs questions, et leurs regards perçants semblaient transpercer son cœur, ou peut-être était-ce le vert aveuglant de la pelouse, mais elle avait dû rentrer aussitôt. Elle avait l'impression, quelquefois, que les conversations se suspendaient à son approche, et elle avait cru entendre quelque chose sur Summer, son arrogance, son air aguicheur, mais ensuite, elle avait eu la sensation d'être folle. Il y avait eu la femme d'un client de mon père, une rousse au nez refait, rencontrée à la banque, qui lui avait dit « vous n'avez pas bonne mine », et ma mère l'avait regardée avec haine. Elle s'était précipitée à l'extérieur, sans un mot, elle ne savait plus si elle ne l'avait pas bousculée. Le soir même, sur les conseils de mon père, ma mère lui avait téléphoné pour s'excuser.

Je repensai souvent à Franck, dans la piscine, je l'imaginais faisant la planche, flottant au milieu d'insectes et de feuilles mortes, les yeux fixés vers le ciel.

Il y avait eu d'autres garçons interrogés, et des filles aussi, mais mon père paraissait surtout tourmenté par les garçons. Il faisait des listes, sur son agenda en cuir, d'une petite écriture nerveuse, des copains de Summer, des garçons de sa classe, mais aussi des petits amis, ou supposés tels, parmi les types qui la ramenaient, avec leurs voitures voyantes, et ma sœur qui s'extirpait de l'engin, en lissant sa jupe, quelquefois elle se penchait au-dessus de la portière, vitre baissée, et elle embrassait le conducteur, en attrapant son visage à pleines mains, et l'on apercevait une ombre, derrière le volant, l'éclat métallique d'une gourmette.

Il y avait des noms entourés, soulignés, barrés. L'agenda s'ouvrait aussitôt sur cette double page inquiétante, comme si la réponse était là, quelque part, et qu'en la contemplant, longuement, des images finiraient par apparaître, il suffirait de se laisser porter pour arriver jusqu'à elle, installée confortablement chez l'un de ces garçons, lisant une bande dessinée dans la chambre d'amis, ou épluchant une orange dans le jardin.

Il passait des coups de téléphone, enfermé dans son bureau, et contre la porte, j'entendais sa voix suave, un ton de camaraderie virile, mais quand il réapparaissait, il semblait furieux, le visage défait. Il s'emportait, « ce connard, après tout ce que j'ai fait pour lui », et je me demandais s'il parlait de moi.

Je retournai à Florimont à la rentrée. Dans les couloirs, tout semblait étrangement semblable et complètement modifié. Summer, Jill, Coco et Alexia avaient été remplacées par un autre groupe, jeans moulants délavés, cheveux éclaircis par le soleil, des filles qui avaient éclos durant les vacances, nourrissant tous les fantasmes, effaçant le souvenir des précédentes, qui semblaient pourtant inoubliables. Summer avait été engloutie, comme les prairies sur les bords de l'Arve, en septembre, quand la pluie fait monter l'eau de la rivière, et qu'on ne peut même pas imaginer qu'il y ait eu là un jour des petites grappes de fleurs sauvages.

Il régnait en classe de troisième une agitation nouvelle, les garçons riaient plus fort, les filles se retournaient en classe en leur jetant des regards profonds. La vie dans les couloirs semblait plus prégnante, il y régnait une fébrilité de ruche, mais peut-être était-ce le contraste avec mon été solitaire, son silence arctique.

Il ne reste rien de cette année, ou presque, elle s'est déroulée derrière un rideau de pluie. Je ne pensais pas à Summer, j'étais pris par le flux de l'année scolaire, qui ressemblait à ces grands courants océaniques contre lesquels il est dangereux de lutter. Le père Félicité, le directeur de l'institut, qui ne m'avait pratiquement jamais adressé la parole depuis le jour de mon entretien d'évaluation, près de dix ans auparavant, entretien durant lequel il avait passé son temps à me parler de ma famille, en particulier de mon père, en suçant des bonbons à la violette qu'il piochait avidement dans une boîte en fer bien trop délicate pour ses gros doigts, sans m'en proposer un seul, le père Félicité m'avait convoqué dans son bureau, quelques semaines après la rentrée. On racontait que, le samedi soir, il emmenait des garçons de l'internat boire des verres en ville, qu'il était drôle et payait des tournées, mais tout cela appartenait à une réalité intangible. Dans son bureau qui ressemblait à un cagibi, où des particules de poussière flottaient au-dessus de son crâne comme une auréole, il me fixait, sa chemise noire trop serrée sur son cou, et j'attendais ma sentence, l'exclusion, le renvoi, l'herbe trouvée dans mon casier, mes résultats encore plus faibles que l'année précédente, ou simplement ce qu'il voyait à l'intérieur de moi, les ténèbres d'un cœur qu'il distinguait aussi clairement que s'il était posé sur la table.

— Comment ça va, Wassner ?

Je l'avais regardé avec angoisse, en réfléchissant à toute vitesse, pour ne pas aggraver mon cas, mais il avait ajouté, sans même attendre ma réponse, qu'il pensait à moi, à ma famille.

Je finis par comprendre qu'il parlait de ma sœur.

« Je me souviens très bien d'elle », avait-il dit, en hochant la tête, comme on parle de quelqu'un qu'on a bien connu, et qui a beaucoup changé. J'avais eu l'impression qu'il voulait ajouter quelque chose, mais il soupira, et nous restâmes là, à contempler le souvenir de Summer dans la poussière en suspension.

Ce fut l'une des seules fois que quelqu'un me parla d'elle, cette année-là, même si la fille aux yeux de serpent, qui apparaissait d'un seul coup, derrière le terrain d'athlétisme, ou à la sortie des toilettes, était comme l'incarnation de mes fautes. Une fois, elle avait sorti une craie de la poche de sa parka militaire, avant de s'agenouiller sur le trottoir, pour dessiner des ronds vides, reliés les uns aux autres par des flèches – elle griffonnait à toute vitesse, tel un génie angoissé à l'idée de perdre son raisonnement – puis elle s'était redressée, un doigt tendu devant mon visage, et avait déclaré, avec un sourire menaçant, « tout est interdépendant, mon vieux, c'est la théorie du chaos ».

Le reste du temps, je ne pensais pas à Summer, c'était beaucoup plus simple. Il me semble aujourd'hui que ma sœur m'avait emmené avec elle, j'avais glissé hors de mon enveloppe physique, et nous flottions ensemble, dans le vent, comme des sachets en plastique gonflés d'air, ou des morceaux de tulle suspendus à une corde à linge.

Il m'arrivait de ressentir des choses quelquefois, on venait me chercher, me pousser à l'intérieur de mon corps, mais c'était brutal, du métal froid sur ma peau. Sur un mur, dans les vestiaires, quelqu'un avait écrit au stylo « Summer pute », même si les lettres barbouillées ne laissaient voir distinctement que le S et le E, même si ces mots avaient été gribouillés par une main frustrée, peut-être des années auparavant, j'avais vomi à l'entraînement du 800 mètres, au bord de la piste. Au réfectoire, les garçons se détournaient, l'air de rien, sur mon passage, et je m'agrippais à mon plateau, la tête me tournant légèrement, tandis que j'entendais des chuchotements, et qu'il me semblait distinguer des mots pointus comme des aiguilles, prononcés à voix basse, « taré » ou « sœur ». Mais il aurait pu tout aussi bien s'agir de voix dans ma tête. Car, cette année-là, l'année de mes quinze ans, j'étais surtout invisible – ce qui me paraît aujourd'hui stupéfiant, sur les photos de classe, il me semble que l'on ne voit que moi, je dépasse tous les autres d'une tête, et l'expression de mon visage, entre la fureur et la douleur, donne le sentiment que je m'apprête à accomplir quelque chose de terrible.

En classe, les professeurs se contentaient de me lancer, avec une patience inédite, alors que je

me balançais sur ma chaise en fixant le vide, ou que je décomposais une gomme en milliers de miettes :
— Revenez parmi nous, monsieur Wassner.

J'allais à l'infirmerie, loin de l'agitation, un lieu neutre, entre la vie et la mort, où Mlle Killy, une grosse dame en sabots de caoutchouc blanc, le signe qu'elle avait renoncé à l'espoir et à l'amour, me faisait m'allonger et prenait ma tension, avant même de me poser la moindre question. Elle me laissait là, à côté d'une table basse où traînaient des dépliants de prévention contre la dépression, et l'alcool, avec des photos d'adolescents qui n'existaient pas, ou alors peut-être dans des camps des jeunesses évangélistes. Je voyais passer des filles qui se tenaient le ventre, le teint livide, elles étaient « indisposées », et nous échangions des regards méfiants. Elles se détournaient aussitôt, et repartaient en traînant les pieds, en suçotant des comprimés de Spasfon que Mlle Killy distribuait comme des Smarties à un goûter d'anniversaire.

J'aimais rester là, je gagnais du temps sur l'existence. Je fixais la cour, par la fenêtre, où les autres menaient le dur combat de la survie, en songeant à la théorie darwinienne de l'évolution, conscient que j'étais destiné à m'éteindre, les individus se réfugiant à l'infirmerie étaient ceux, inadaptés à leur milieu, qui finiraient balayés de la surface de la terre par la sélection naturelle.

En octobre, j'avais aperçu Jill et Coco, sur la terrasse de la Clémence, dans la vieille ville. Elles étaient attablées, nonchalantes, et, cette vision était si stupéfiante qu'il avait fallu m'appuyer un instant contre la vitrine de la boulangerie. Coco avait relevé la tête dans ma direction. Mais elle avait semblé happée par quelque chose dans le lointain, et détourné le regard, un peu trop vite, peut-être. Je voyais le profil de Jill, qui portait une veste en jean, et une queue-de-cheval, elle tapotait le fond de son verre avec une paille en plastique. Je regardais son visage incliné, la colonne gracieuse de son cou, le citron qu'elle écrasait avec concentration. Je m'étais remis en marche, en longeant le mur, le regard fixé sur mes pieds. Je m'éloignais avec la sensation que tout s'était asséché d'un coup, mes yeux me brûlaient comme si on y avait jeté de la poussière. Mon cœur battait au ralenti, péniblement, il charriait du gravier, ou des débris métalliques. La nuit, je voyais la scène, je la revois encore aujourd'hui, parfaitement nette, les couleurs éclatantes, les gestes féminins de Jill et de Coco, et je peux répondre désormais à cette question que je me posais sans cesse, avec une sorte de douleur stupéfaite, oui, elles m'avaient vu, bien entendu elles m'avaient regardé m'éloigner avec soulagement, et mon image s'était dissoute dans les bulles de leur Coca, ou dans l'air cuivré de l'automne, qui commençait à diffuser ses effluves sucrés de pourrissement. La terre effaçait ce qu'elle avait porté, les feuilles s'amoncelaient dans les flaques, la pelouse devant la maison était jonchée de morceaux de branchages, le lac, plus sombre chaque jour, ressemblait à une grande assiette d'eau sale.

Je n'y pensais pas car je savais qu'elle ne reviendrait pas.

Cette nuit, j'ai rêvé de Summer dans sa chemise de nuit en coton bleu, cette chemise qui semble désormais sa tenue de scène, quand elle mène sa vie nocturne. Depuis quelque temps, elle m'apparaît dans une forêt, où la végétation semble perpétuellement humide, comme si on l'avait aspergée d'un liquide visqueux.

Elle est là, entourée de feuilles géantes et de lianes, pieds nus sur le sol qui paraît grouillant de vie.

Elle fait face à deux grands oiseaux. Une corneille noire, au bec immense, telle une corne, et un ara, d'un bleu irréel.

Je sais que ce sont nos parents, et je lis dans les pensées de ma sœur, qui tend les bras devant elle pour les caresser. Mais les oiseaux, affolés, déploient leurs ailes, en poussant des cris déchirants. Elle essaye de les étreindre, elle veut les tranquilliser, mais ils se débattent de plus en plus fort, leurs ailes se prennent dans ses cheveux, et je sens sa peur – et la mienne – de leur faire mal, d'entendre un os se briser. En transparence, on distingue les cartilages de leurs ailes, ils ressemblent à de longs doigts.

En baissant les yeux, j'aperçois du sang qui dégouline le long des bras de Summer, des taches sombres sur ses manches s'épanchent à toute vitesse. Les serres des oiseaux sont plantées dans ses épaules, on voit les plaies à travers le tissu déchiré, mais Summer ne sent rien, absorbée par le contrôle de ses gestes. Elle déplace lentement ses mains dans l'air, comme si elle caressait une créature invisible, tandis que les cris des oiseaux, de plus en plus stridents, évoquent la plainte, ou la fureur, et que les taches sur le tissu grandissent, grandissent, jusqu'à ce que la chemise de nuit devienne complètement rouge.

Je sais que l'on a raconté des choses sur nous. Il y a eu des articles de journaux, avec des photos récupérées on ne sait où, ma mère en bustier, cadrée au niveau des omoplates, juste au niveau du tissu noir, de sorte qu'on a l'impression qu'elle est nue, simplement vêtue de boucles d'oreilles en diamants. On publiait des photos de mon père aux côtés d'hommes politiques ; ou d'exilés fiscaux, Rolex au poignet – sur les clichés, il avait toujours l'air plus vieux, et plus épais, avec quelque chose de carnivore. Je ne supportais pas ces papiers, avec toujours le même portrait de Summer – souriante, confiante en la vie, une photographie prise par on ne sait qui, une amie, un amoureux, *son assassin* ? – et les commentaires faussement apitoyés « la tragédie d'une famille illustre », ce genre de conneries, qui me donnaient envie de cogner. Je le faisais quelquefois, mais c'était toujours contre moi-même que se déchaînait ma rage. Je m'étais foulé le poignet en frappant le mur de ma chambre, une autre fois, j'avais balancé un verre contre l'évier, sans même le lâcher, dans un geste stupide et théâtral.

Je me souviens de l'hebdomadaire gratuit, que ma mère avait trouvé dans la boîte aux lettres, sur la première page, « Summer : déjà trois mois sans nouvelles », avec cet usage du prénom, comme si elle leur appartenait. Ma mère, l'avait posé, puis elle avait vacillé, légèrement, en s'appuyant sur la table, du bout des doigts. Je l'avais prise dans mes bras. Son corps frêle vibrait, un petit paquet d'os, de peau et de muscles.

Je n'y pensais pas, mais je savais qu'on parlait de nous, en ville, dans les restaurants d'affaires, dans les réceptions, où mes parents n'étaient plus invités, à la Nautique, au téléphone. Je les entendais ces mots qui traversaient la ville, je voyais les regards, la fébrilité, les bouches grimaçantes qui racontaient des anecdotes inventées de toutes pièces.

On disait que ma sœur était une aguicheuse, une paumée, elle « faisait n'importe quoi ». On évoquait mes parents, la froideur de ma mère, l'arrivisme de mon père. Sans parler de ce qu'on pouvait bien dire de moi. Je ne voulais même pas y penser.

« Il n'est pas tout à fait normal, enfin, vous voyez ce que je veux dire. »

« C'est cruel, bien sûr, mais on ne peut s'empêcher de se demander pourquoi, n'est-ce pas ? Pourquoi le destin n'a pas plutôt pris (voix qui baisse d'un ton)… *l'autre.* »

Mais ils ne savaient pas. Personne ne savait. Pas même ma mère, mon père, ou moi.

La vie secrète de Summer se déroulait ailleurs, pas dans les boîtes de nuit, pas dans le lit des garçons, elle vivait dans un autre monde, un lieu doux et retiré, fait de rêves et de solitude. Nous pouvions la voir, pas la rejoindre.

Nous l'aimions. Nous l'adorions.

Je me souviens d'elle, dans cet hôtel aux Baléares où nous avons passé tous les étés de notre enfance. Quand je me réveillais, le matin, son lit était vide. Par la fenêtre, je l'apercevais dans la piscine en contre-bas, la tâche colorée de son maillot de bain qui glissait dans l'eau, tout au fond. Je me souviens des chaises longues vides, la pelouse verte tout autour, les cliquetis de l'arrosage automatique. Summer me disait qu'elle était une sirène, elle vivait dans cette piscine, où personne ne pourrait jamais la retrouver. Elle restait sous l'eau un temps infini, son corps allongé sur les petits carreaux bleus, dans un entrelacs d'ombre et de lumière qui paraissait vivant.

L'après-midi, elle partait avec son masque et ses palmes, en marchant à reculons sur la plage et disparaissait dans les vagues, je voyais le bout de son tuba, au loin, et puis, soudain je ne le voyais plus.

Elle finissait par revenir, elle rapportait un morceau de coquillage, son masque sur la tête. Elle se laissait tomber sur le sable à côté de moi, j'avais envie de l'embrasser, et aussi de lui faire mal. Elle avait cet air rêveur, qui la séparait de moi.

— Mais t'as pas peur des requins ?

Elle m'avait souri.

— C'est ça qui est trop bien.

Il me semble aujourd'hui que j'ai passé toute ma vie à attendre qu'elle réapparaisse, à retenir mon souffle en guettant la tache jaune, ou noire, de son tuba.

Je le savais, comme on sait des choses dans son corps, qu'un jour on me la prendrait.

J'ignore ce qu'elle a rencontré, là-bas.

Mon père adorait l'eau, lui aussi. Il avait offert à ma sœur un guide sur les espèces de Méditerranée. Il racontait qu'il aurait voulu être océanographe. Pour ses neuf ans, il avait offert à Summer un aquarium, avec un dispositif sophistiqué de filtrage et d'oxygénation, qui ronronnait en permanence. On l'entendait en passant dans le couloir, la moquette vibrait sous nos pieds. Il était programmé pour s'allumer et s'éteindre à heures fixes, créant une alternance de jour et de nuit qui lui était propre, un monde à l'intérieur du monde. On avait installé deux chaises pliantes juste devant, et je les trouvais là, Summer et mon père, parfois très tôt le matin, absorbés dans la contemplation d'une forêt aquatique illuminée.

Le week-end, nous allions chercher de nouveaux spécimens dans une animalerie du centre-ville.

Je me souviens du bruit de cascade, les cris des oiseaux. Des effluves sauvages pénétraient les poumons derrière la porte vitrée qui émettait un bruit de clochette. Summer posait son visage sur les vitres, des éclairs colorés se déplaçaient à toute vitesse. Je sentais l'excitation de mon père et de ma sœur quand une nouvelle espèce était arrivée. Leurs yeux brillaient en suivant l'épuisette du vendeur balayant l'eau pour attraper le mâle et la femelle qu'ils avaient désignés. Mon père me laissait toujours choisir un poisson, mais cela m'était égal, je n'aimais que les écureuils et les hamsters. Ils semblaient avoir une âme, et un cœur, contrairement aux poissons, avec leurs yeux immobiles.

La semaine dernière, j'ai voulu voir si le magasin était toujours là. J'ai descendu la rue de la Fusterie, il faisait beaucoup trop beau. J'ai de plus en plus de mal à sortir le jour, mais c'était un élan, une mission, alors même que je n'ai pas pensé à cet endroit depuis vingt-cinq ans.

L'animalerie était toujours là, exactement semblable, les lettres rouges sales sur la devanture, Oiseaux Poissons Rongeurs Reptiles, les grelots de la porte d'entrée, exactement les mêmes, on aurait dit qu'ils annonçaient mon retour, comme si on m'attendait, dans un autre espace et un autre temps, un monde fait de néons et de brouillard.

Rien n'avait été modifié, tout était là, les rangées d'aquariums, le carrelage glissant, les réservoirs de plantes aquatiques, les coraux artificiels et les arches décoratives, le bruissement d'ailes, dans le fond du magasin, là où les perchoirs des oiseaux exotiques dominent les cages des passereaux et des rongeurs, et, d'où s'échappait soudain le cri aigu d'un perroquet échappé d'une forêt lointaine.

J'ai marché le long des vitres, les poissons se déplaçaient en nuées compactes, je ne savais pas s'ils s'écartaient sur mon passage ou s'ils m'escortaient, mais il me semblait que leurs yeux me suivaient, des centaines de pupilles noires sur fond jaunes, fixes et insistantes, un reproche silencieux.

J'avais du mal à respirer, j'ai eu la même sensation que dans mon bureau, comme si l'odeur de peinture était venue jusque-là, qu'elle avait glissé sous la porte et s'était répandue à toute vitesse, plus puissante que l'odeur du foin, et des oiseaux, plus forte que le monde sauvage lui-même.

J'ai senti la présence de Summer, elle s'était reconstituée d'un coup, avec des détails que j'avais oubliés, la façon dont battaient ses cils lorsqu'elle contemplait les aquariums, cette clarté illuminée qui lui donnait un air de béatitude rêveuse, ou sa manie de se mordiller le pouce, quand elle se demandait quels poissons choisir, comme si cette décision était extrêmement complexe, menaçant l'équilibre de son biotope.

Je vois sa main posée contre une vitre, ses pieds nus, légèrement comprimés dans ses sandales, elle renvoie une lumière blanche qui révèle le grain de sa peau, le frémissement de ses narines, ses sourcils blonds, et mobiles. Ils se détachent au centre d'une loupe. Je voudrais poser mes doigts sur son visage, je perçois son souffle, et son cœur qui bat délicatement, à la base du cou, mais j'ouvre les yeux, et il n'y a rien, juste cette lumière aveuglante, et les mouvements muets des poissons, telles des écharpes mouvantes, et le ronronnement des tuyaux reliant les bacs à notre monde, à la façon d'un gigantesque système de respiration artificielle.

Je l'ai regardée, il me semble que je n'ai fait que cela, pendant toutes ces années. Pourtant j'ignore qui elle était, au plus profond de son cœur. Aux Baléares, depuis la fenêtre de notre chambre, au troisième étage, nous regardions la piscine, ce trou bleu dans l'esplanade en pierre.

— Tu te rends compte que quand on nage sous l'eau, on est en dessous de la surface de la terre ?

C'est comme la quatrième dimension, avait-elle dit, les yeux écarquillés.

Jamais peut-être n'ai-je été aussi heureux que dans cette animalerie, avec Summer, et mon père. Le sourire de ma sœur diffusait des particules brillantes, qui voletaient jusqu'à nous. Mon père avait son air de gamin, une mèche folle retombant dans les yeux, tandis que nous choisissions les plus beaux spécimens, les plus subtils dans leurs comportements, parade, combats, reproduction, les plus chers, aussi.

J'ouvre les yeux, et je les vois devant moi, ma sœur, âgée de onze ans, agrippée au cou de mon père, ils sont si proches que je peux sentir Eau sauvage, qui s'échappe de sa chemise à lui, et voir le bracelet autour de son poignet à elle, des perles minuscules si brillantes qu'on dirait qu'on vient de les sortir de la mer. Je vois le sourire enfantin de papa, tandis que Summer dépose un baiser sonore sur sa joue, il semble ému, il enserre sa taille, elle semble si fine entre ses mains. Je me demande quelle est cette chose inédite, que je perçois chez lui, et qui jamais ne se révèle ailleurs, cet air amusé, presque tendre, qu'il a ensuite en me donnant un coup de poing sur l'épaule, au ralenti, ou en me faisant un clin d'œil, tandis que Summer, inclinée consciencieusement au-dessus d'un bac, nous appelle d'une voix que l'excitation rend plus aiguë.

— Venez voir, ils ont reçu des Discus léopard !

Il soupire, faussement contrit, avec cet air qui semble signifier « ah les filles ! », et nous rions, nous sommes exactement là où nous devons être.

Nous nous approchons de Summer, et je sens mon cœur qui enfle, quelque chose de vivant et de coloré y nage, mon cœur pourrait être déposé à leurs pieds, à côté des poches de plastique transparent où flottent nos poissons.

Je crois que je peux nommer cette chose, aujourd'hui, cette chose qui émanait de mon père, et qui nous reliait, tous les trois, à la façon d'une guirlande multicolore, il s'agissait d'innocence. Nous étions dans une bulle hors du temps – nous restions souvent si longtemps qu'il faisait nuit, à l'extérieur, ou que le temps avait changé complètement, il pleuvait, ou un vent froid venu du lac s'était levé, à moins que nous n'ayons juste tout oublié à l'instant même où nous avions poussé la porte en verre, son carillon mélodieux effaçant nos mémoires par enchantement – tandis que les odeurs suffocantes de ménagerie nous faisaient tourner la tête imprégnant nos cheveux, nos vêtements qu'il faudrait laver ensuite, ma mère se pinçant le nez en s'exclamant, faussement horrifiée, que nous « sentions le fauve ». Nous n'étions pas coupables, alors, la vie était limpide, il suffisait de suivre Summer déambulant dans les allées, sourire aux lèvres, gracieuse comme une jeune biche.

Il est tellement difficile de savoir ce qui a eu lieu, ce qui n'était qu'un rêve. Qui étions-nous ? Quelles forces souterraines habitaient nos cœurs ? Tant d'images défilent, des flashs successifs, des images syncopées, une main (celle de mon père) posée délicatement sur une nuque (Summer, ses cheveux relevés), la même main (mon père) qui saisit un bras violemment (Summer, dix-sept ans, en top à bretelles, yeux luisants de peur et de colère contenue), doigts enfoncés dans la chair qui blêmit, une auréole couleur d'os, là où la main de papa appuie, avec une force effrayante. Les images surgissent, et se télescopent, le docteur Traub prétend que c'est l'alcool, associé aux médicaments, qui désintègre le réel, mêle les souvenirs et les songes, et m'éloigne de moi-même, mais moi, je sais qu'il ne comprend rien, qu'il n'a aucune idée de qui nous étions.

Mais que dois-je croire, quels instants reflétaient la réalité de nos âmes ? Était-ce ces matins où mon père et ma sœur, assis l'un à côté de l'autre, sur ces chaises minuscules, retiennent leur souffle devant la parade nuptiale des poissons, dans une communion silencieuse ? Était-ce ces soirs où, les joues en feu, mon père crie debout dans la cuisine, tandis que Summer, assise sur un tabouret en plastique, cache son visage dans ses mains, comme pour s'extraire, ou se protéger de ces grandes mains furieuses qui lui attrapent les épaules, et la secouent, quelque chose d'irrémédiable a dû se passer, dont on ne me parle pas, où est ma mère, alors, tandis qu'il essaye d'extraire cette chose de ma sœur – des aveux ? des regrets ? Ou peut-être est-ce sa faute, qu'il veut qu'elle recrache, un œuf écarlate, ou une minuscule créature fossile, qui jaillirait de sa bouche et viendrait atterrir sur la table.

Peut-être l'ai-je détestée, je ne sais pas, peut-être lui en voulais-je de glisser dans la vie tel un petit voilier sur la mer, juste sur la ligne d'horizon. Depuis le rivage auquel j'étais condamné, je regardais son embarcation traverser des nappes de clarté, des rideaux tombant du ciel, comme ces rayons qui transpercent les nuages sur les images pieuses.

Peut-être que je l'ai détestée de nous avoir laissés. Le docteur Traub hoche la tête, quand j'évoque cette éventualité, il regarde la table, son visage impassible, je suis convaincu qu'il attend cela depuis le début, depuis le premier jour, il attend que se déverse cette chose poisseuse comme de la boue.

L'autre jour, je me suis souvenu du châle.

Pour ses dix-huit ans, ma mère avait offert son châle préféré à Summer. Immense, en soie ivoire brodée d'un héron aux ailes dépliées, bordé de longues franges jaunes. C'était le premier cadeau de mon père à ma mère, elle aimait raconter qu'il le lui avait offert, à Paris, au jardin du Luxembourg, alors qu'ils se connaissaient à peine. Elle le portait le soir où mon père l'avait demandée en mariage – dans ce bar à huîtres où elle avait commandé un sorbet au citron en guise de plat de résistance, parce qu'elle détestait les fruits de mer, et il avait dit : « épouse-moi. »

Pendant des années, ce châle avait été l'objet d'un combat silencieux entre ma mère et ma sœur. Les soirs d'été, il reposait triomphalement sur les épaules de ma mère – dans son dos, les petits yeux noirs de l'oiseau semblaient vous fixer avec défiance –, puis disparaissait, ma mère le recherchait nerveusement dans ses armoires, en déplaçant les housses en plastique où étaient rangés ses cachemires, et ses corsages précieux, rebrodés, lamés, perlés. On finissait par le retrouver dans la malle en osier de Summer, ou sous son lit dans un nuage de poussière, ma sœur, les yeux grands ouverts, jurait qu'elle ne comprenait pas.

Il ressemblait peut-être à ce qu'elles voulaient être toutes les deux : un oiseau s'apprêtant à survoler le monde, à l'embrasser entre ses ailes déployées.

Le jour de l'anniversaire de Summer, à la fin du mois de juin, ma mère avait dressé la table dehors, avec la nappe en lin qui tombait jusqu'au sol et qu'on ne sortait jamais. Ma mère conservait dans des placards une collection de linge précieux qu'elle triait de temps à autre, assise gracieusement sur ses chevilles, auréolée d'un parfum de naphtaline. Des sets de table et des serviettes brodées sur les genoux, elle semblait concentrée, et songeuse, comme si elle espérait une occasion merveilleuse, un événement d'une importance telle que nos vies en seraient changées.

Maman avait sorti la nappe, et déposé une boîte sur l'assiette de ma sœur. C'était une de ces journées douces, où les odeurs de la végétation se mêlaient à celles du lac, un parfum d'eau et de fleurs. L'air était plein de boules cotonneuses et de duvet de cygne, si légers qu'ils semblaient remonter vers le ciel. Ma sœur avait poussé un cri de surprise en dépliant le châle, dont l'oiseau bleu semblait plus vivant que jamais, puis elle s'était levée pour serrer notre mère dans ses bras. Elle avait enfoui son visage dans son cou. Il y avait alors tant de fleurs et de plumes voletant autour de nous, qu'elles semblaient s'embrasser sous la neige. J'avais eu la sensation d'assister à un rituel déchirant, comme si ma mère offrait sa jeunesse et sa beauté à sa fille, et qu'elle avait elle-même tissé la soie, cousu une à une les plumes blanches, bleues, et orange du héron, avec un fil minuscule qui provenait de son cœur, et le défaisait à la fois, un ouvrage si méticuleux qu'il avait fini par emprisonner ses rêves, entrelacés dans la trame.

Un an plus tard, presque jour pour jour, j'avais vu ma mère tendre à ma sœur une sorte de chiffon roulé. Elles étaient debout, face à face, dans l'entrée, Summer allait sortir, ou peut-être rentrait-elle, elle portait un short microscopique, et ma mère brandissait ce morceau de tissu, juste sous le visage de ma sœur.

Summer avait saisi l'étoffe, elle s'était déployée le long de ses jambes, et j'avais vu le châle au héron, maculé de traces noires, une déchirure nette, large en son centre. Tandis que Summer demeurait immobile, avec une expression indéfinissable, ses yeux fixant le tissu, j'avais entendu la voix de ma mère, sifflante, pleine d'un mépris terrifiant.

« Je n'aime pas ce que tu es devenue. »

Trois semaines plus tard, Summer était partie.

Un matin, j'étais entré dans sa chambre, et j'avais cherché le châle, dans les tiroirs, la malle en osier, sous le lit, là où elle le cachait. Je fouillais, fébrile, avec une précipitation croissante, un sentiment d'urgence qui me semblait stupide, mais, en dépit de la voix dans ma tête qui commentait tout au ralenti, beaucoup plus lente et lointaine que mes gestes désordonnés, je ne pouvais pas me calmer, je devais toucher la soie, les fils serrés du plumage de l'oiseau, je devais voir la déchirure, les traînées sombres, comme si on l'avait brûlé, ou piétiné avec des bottes. Je ne sais pas ce que j'espérais, quel soulagement, ou quelle douleur, j'ouvrais les tiroirs nerveusement, plongeais mes mains dans les sous-vêtements, les piles de T-shirts, comme un inspecteur de série télé, toutes ces pièces de tissu qui étaient ma sœur, la constituaient et me faisaient penser à la poupée en carton qu'elle adorait habiller quand elle était petite – jupette blanche/débardeur/casquette, robe longue/diadème/sac à main, tous ces accessoires en papier, munis de languettes qu'on repliait pour les fixer. La poupée changeait de personnalité en fonction de sa tenue, mais quand elle ne portait rien, simplement vêtue d'une culotte fleurie, son demi-sourire, adorable et cruel, semblait signifier : *Qui suis-je ? Tu n'en as aucune idée.*

Pour une raison obscure, je savais que la réponse au dérèglement de nos vies était inscrite dans le tissu, à l'intérieur même de ses mailles invisibles, des outrages mystérieux qu'on lui avait fait subir. C'était comme si sa métamorphose à lui – étoffe luxueuse et chatoyante, transformée en cette chose honteuse, mutilée – était la parfaite incarnation de la transformation de ma sœur.

*Ce que tu es devenue.*

Je n'ai pas retrouvé le châle.

L'année qui suivit sa disparition, je suis, moi aussi, devenu quelque chose d'autre. Même si je n'en étais pas conscient. Je traversais les jours avec un détachement apathique, entrecoupé de brusques accès de sauvagerie, ou comme l'avait noté le psychologue de la police, « d'accès de violence incontrôlée ».

Cet automne-là, Matthias Rosset, un nouveau, s'était planté devant moi. Il avait déjà seize ans et venait à l'école en vélomoteur, ce qu'absolument personne ne faisait à Florimont. J'avais supposé qu'il m'approchait parce qu'il était aussi grand et maigre que moi, et qu'il était méprisé, ou redouté, avec son diamant à l'oreille, son accent suisse, et ses jeans serrés sur ses cuisses. « Les tarés attirent les tarés », avais-je pensé, en serrant la main qu'il me tendait.

« T'es le frère de Summer Wassner », avait-il dit, et j'avais été surpris, et nerveux d'entendre prononcer son nom, il sonnait étrangement, comme celui d'un animal exotique, un mouvement furtif dans le lointain.

Je n'avais pas répondu, je m'étais contenté de lâcher sa main, et cela scella un mode de fonctionnement, entre nous. Il affirmait ses conceptions de l'existence, proposait un mouvement, et je marquais mon approbation dans le silence, avec un détachement apparent, une sorte de mutisme blasé destiné à dissimuler le vide, et la terreur dont j'étais constitué.

Matthias Rosset semblait complètement satisfait de lui-même ; il traversait le monde en traînant ses bottes en cuir, ses cheveux trop longs retombant de façon désordonnée dans son cou, là où rougeoyaient des boutons infectés qu'il ne cherchait même pas à dissimuler. Il avait des résultats catastrophiques, dans toutes les matières, y compris en éducation physique – après les tours de stade, il finissait toujours par cracher ses poumons, les mains sur les hanches. Son père s'était saigné pour le mettre dans « une école de riches », m'avait-il dit, pourtant, il ne semblait pas concerné par les allusions railleuses des professeurs à sa paresse, ou à son intelligence – « Matthias est gentil », avait inscrit sur son bulletin trimestriel le professeur de mathématiques. Il ne paraissait pas entendre les ricanements des garçons les plus snobs de la classe – « eh Rosset t'as redoublé combien de fois ? T'as quel âge ? Vingt-trois ans, c'est ça ? ». Il souriait en se balançant sur sa chaise, comme si la vie lui promettait un autre avenir, que sa présence parmi nous n'était qu'une regrettable contingence, tout cela finirait par s'évaporer, de la même façon que « ces connards de bourge » s'effaceraient de sa mémoire à la seconde même où il quitterait l'établissement pour embrasser son destin.

Cette année-là, mes parents étaient souvent absents, je n'arrive pas à me souvenir où ils étaient passés, c'est un casse-tête dont je rassemble péniblement les pièces pour finir par constater qu'elles ne s'imbriquent pas, elles sont trop petites ou trop grandes, plusieurs puzzles que l'on aurait mélangés. Il y avait les absences de papa, dues à ses affaires, il traversait une période chaotique – quelques mois ? une année ? – ces soirs où les pneus du Range Rover crissaient trop fort sur le gravier, et qu'il rentrait, le visage fermé. Je l'entendais se servir un verre – il passait la porte d'entrée et fonçait vers la cuisine, empoignait une bouteille de vin, une bière, n'importe quoi, à cette époque, il se déplaçait toujours un verre à la main –, sa voix montait, de plus en plus furieuse, évoquant ces enculés, ces couilles molles qui lui annonçaient, autour d'un déjeuner luxueux, chez Roberto ou à l'hôtel Beau Rivage, qu'ils changeaient de cabinet, ils avaient besoin de discrétion, ce n'était qu'une mesure provisoire. Ils auraient voulu faire autrement, ça faisait quoi ? vingt ans qu'ils se connaissaient ?, mais c'était compliqué, ils avaient des partenaires, tu sais comment sont les gens, ils parlent, disaient-ils, en s'essuyant les lèvres délicatement. Papa était toujours ailleurs, car il « se battait pour notre réputation et notre famille » nous avait-il dit, un soir à table, à ma mère et moi, et je m'étais mis à rire, nerveusement, sans aucune raison, ou peut-être à cause du bang que Matthias m'avait fait essayer plus tôt dans la journée.

Je ne pouvais rien faire, j'étais l'observateur vaporeux de cet autre moi, ricanant, sans cœur, et que mes parents fixaient, interdits. Mon père avait sifflé entre ses dents, je les voyais toutes serrées, « dégage », et j'étais monté au pas de course dans ma chambre, nauséeux et hilare.

Nous passions notre temps, Matthias et moi, affalés dans le canapé du salon, à regarder des vidéos, lire *Penthouse*, *Playboy*, *Lui*, *Union*, *Reader*

*Digest*, *National Geographic*, *Voici*, *Le Matin*, *Skate Magazine*, qu'il piquait dans le magasin de journaux de son père. Nous fumions un joint à la fenêtre de ma chambre, ou même dans le salon, le week-end, nous laissions traîner nos barrettes sur la table basse, mes parents partaient presque tous les week-ends, cet hiver-là (j'ai le vague souvenir de papa évoquant un client à Courchevel, ou à Megève, mais aussi de mon soulagement, quand je voyais les sacs de voyage sur le pas de la porte, annonçant leur départ). En fin de journée, Matthias appelait son père, pour prévenir qu'il restait « dormir chez Ben », il l'écoutait lui faire des recommandations, en dressant le majeur en direction du combiné, puis il raccrochait, se laissait tomber sur le canapé, et saisissait la télécommande, ou se remettait à effriter une boulette de hasch. Le poste de télévision constamment allumé nimbait la pièce d'un nuage bleu électrique qui nous protégeait du monde. Dans la nuit statique, nous avions la sensation d'habiter une capsule dérivant dans l'espace, à des millions de kilomètres de toute vie humaine.

Un soir, tandis qu'il disposait minutieusement des coquilles de pistache en cercles concentriques sur la moquette, Matthias avait dit : « Je suis sûr qu'elle est morte. »

J'avais fixé le mur devant moi, en soufflant. J'avais l'habitude – c'était étrange de réaliser qu'il était la seule personne désormais à parler de ma sœur, alors même qu'il était apparu dans ma vie après qu'elle en eut disparu pour toujours –, et je ressentais à chaque fois exactement la même sensation, une sorte d'aspiration, comme si on collait une ventouse contre mon thorax, et que l'on tirait dessus pour arracher mon cœur, ou la bête visqueuse qui y était enroulée.

— On en a déjà parlé.

C'était toujours quand nous étions défoncés qu'il abordait le sujet. Il avait découpé la photo de Summer, dans un magazine, le portrait qui accompagnait l' « avis de disparition inquiétante », avec son sourire doux, et cette auréole autour de ses cheveux, cette photo qui me donnait la nausée, quand je tombais dessus en feuilletant un journal, ce qui n'arrivait plus, heureusement, la police ayant, semblait-il, elle aussi oublié l'existence de ma sœur.

Matthias avait cette attirance pour la mort, c'était presque un truc sexuel. Il m'avait montré un classeur rempli de photos de meurtres, des types allongés sur la chaussée, dans des positions bizarres, des murs éclaboussés de sang, une fille dans une voiture qui semblait dormir les yeux ouverts. Il caressait le plastique dans lequel étaient rangées les photos, ses gestes étaient pleins de délicatesse.

J'avais essayé de lui expliquer une fois. Sans doute parce que l'herbe que nous avions fumée avait éveillé en moi une sorte de conscience métaphysique, je lui avais dit à mi-voix : *elle n'est pas morte, je le saurais si elle était morte*. Il s'était redressé, en s'adossant au canapé, les yeux plus brillants, soudain.

— Mais elle n'est pas vivante, non plus. C'est une entité. Elle est dans l'air (je faisais des gestes flous au-dessus de nos têtes), elle est partout : dans le ciel au-dessus du lac, dans les roseaux qui se mettent à se balancer, alors qu'il n'y a pas de vent. Elle est dans l'eau, dans les bancs de petits poissons, sous le débarcadère, je sentais un afflux de sang dans mon crâne, je réalisais que je parlais avec de plus en plus de fougue, mais je ne pouvais plus m'arrêter, tandis que Matthias me regardait avec intensité, quelquefois elle se réincarne en cygne. Je vais sur la plage de galets, j'attends, et paf, quelques minutes après, elle apparaît, en nageant très lentement, je vois ses yeux qui me fixent. J'avais baissé les yeux sur le visage de Matthias. Je sais que c'est elle, et elle sait que je sais.

Il était resté immobile, la bouche légèrement ouverte, puis avait dit, avec une sorte de respect pensif.

— T'es complètement déchiré.

Une autre fois, je l'avais trouvé dans la chambre de Summer, allongé sur le lit, avec ses énormes chaussures qui semblaient faites pour la randonnée. J'avais crié, descends de là, putain. Il s'était laissé tomber mollement sur le sol, puis relevé, très lentement, comme pour signifier qu'il ne recevait pas d'ordres, avant de s'approcher des photos punaisées sur le mur, au-dessus du bureau, parfaitement rangé, où reposaient toujours ses livres de classe et ses gobelets à crayons. Les tirages gondolaient légèrement. « Waouh, elle est bonne aussi, la brune », s'était-il exclamé en approchant les lèvres tout près des visages de Summer et de Jill.

Il avait vu ma tête : il avait reculé.

Nous étions ressortis de la pièce en silence. J'avais fermé la porte en faisant pivoter très doucement la poignée, comme si nous laissions derrière nous un bébé endormi.

En réalité, Matthias m'impressionnait, il ne semblait jamais s'interroger sur rien, ni sur ce qu'il était, ni sur son avenir, il était là avec son petit sourire ironique, sa supériorité naturelle, comme s'il observait le monde du haut d'un promontoire.

Il m'avait emmené chez une amie à lui, une fille aux cheveux bleus, avec une quantité déraisonnable d'anneaux dans l'oreille, qui vivait dans une tour, à la Servette, et organisait des séances de spiritisme. Elle appartenait à sa bande d'avant, des élèves du collège du Grand-Saconnex dont les bâtiments aux murs recouverts de traînées noires évoquaient un pénitencier incendié, une terre d'abandon et d'ébullition qui ressemblait aux pays de l'Est, ou à la France. Il y avait une grosse fille tout en noir et un garçon avec un tee-shirt déchiré sur lequel pendouillait une grappe de badges, l'un à l'effigie de Lénine, un autre où l'on pouvait lire « Kids in Satan Service » – ce qui m'avait paru peu opportun, au vu des circonstances. Leurs visages étaient dénués d'expression, ils paraissaient vieux et dotés de la même assurance nonchalante que Matthias. Ils semblaient déjà entrés dans le monde adulte, et en être ressortis, écœurés, pour s'en aller voyager dans des terres occultes.

L'appartement était plongé dans l'obscurité, simplement éclairé par quelques bougies, sous l'autorité d'une vierge en plâtre, dont le regard affligé, à la lueur de la flamme, se transformait en strabisme divergent, comme si elle se foutait de la gueule de l'assistance.

Ils m'avaient envisagé avec une espèce de défiance molle, et la fille aux cheveux bleus, qu'ils appelaient Nico (qui sonnait mieux que Nicole) m'avait salué avec un regard intense. Je compris que Matthias leur avait parlé de moi, quand elle prit ma main entre les siennes. « Je suis désolée pour ta sœur. On va essayer de lui parler. Tu sais, on a déjà réussi à communiquer avec plein de gens. John Bonham, par exemple, vient souvent. Il est cool. » Je l'avais regardée sans comprendre, je m'étais contenté de lui rendre son sourire, tandis qu'elle me tendait un bol plein de sel, m'intimant de tracer un cercle sur le sol autour de la table, « pour repousser les esprits malins ».

Nous nous étions assis autour de la table en formica qui évoquait assez peu les guéridons traditionnels de l'activité spirite, mais qui était si légère qu'elle sursautait au moindre mouvement. Nous avions posé l'index sur un verre à pied retourné, encerclé de lettres de scrabble, et Nico avait ouvert la séance en faisant un signe de croix sur la table, et en psalmodiant quelque chose en latin d'une voix étrangement grave, comme si elle était saisie par le fantôme d'une contralto, avant d'appeler « Esprit es-tu là ? », et rien ne s'était passé.

L'encens qui fumait sous la table piquait nos yeux, et Matthias s'était mis à ricaner, mais la maîtresse de cérémonie lui avait lancé un regard mauvais qui l'avait stoppé net. Nous étions restés ainsi, un temps infini, à écouter le tic-tac d'une pendule invisible, tandis que me parvenaient les vagues de chaleur émanant du corps replet de ma voisine. J'avais des fourmis dans les doigts, quand soudain, le verre s'était mis à trembler. Ma voisine avait poussé un gémissement plaintif, un jeune chiot à qui on aurait balancé un coup de pied.

Nico – dont les cheveux bleus se fondaient dans la fumée des bougies, comme si son crâne brûlait – avait levé le menton vers moi.

— Benjamin, est-ce que tu veux appeler ta sœur ?

Je lui avais lancé un regard égaré, mais toute l'assistance opinait du chef, et j'avais inspiré un grand coup.

— Summer ? Summer est-ce que tu m'entends ?

Je m'étais souvenu du temps où ma sœur et moi nous parlions dans des talkies walkies, en nous appelant Roger, parfois à quelques centimètres l'un de l'autre, mais nos voix, grésillantes dans l'émetteur récepteur, semblaient parvenir de l'au-delà, un espace fascinant, étrangement plus réel.

Le verre s'était dirigé vers les lettres O-U-I.

Il y avait eu une exclamation générale, et j'avais senti mon cœur faire un bond.

Nico était radieuse, dans l'obscurité je sentais son excitation, l'intensité de sa concentration, quelque chose de vibrant et de chaud qui circulait dans son corps jusqu'au bout de son index. Elle me lançait des regards pleins d'espoir, j'avais bafouillé.

— Tu… Tu vas bien ?

O-U-I.

Nico avait enchaîné, fervente.

— Summer ? Où es-tu ?

D-A-N-S….

Le verre glissait de plus en plus vite.

T-O-N…

… C-U-L.

Nico avait retiré son doigt d'un seul coup, comme si le verre l'avait brûlée. Matthias et le bolchevique secouaient leurs épaules en ricanant, tandis qu'elle se levait pour allumer la lumière – ce qui semble-t-il n'était pas du tout conforme à une séance de spiritisme digne de ce nom –, avant de déclarer, la voix chargée de reproche, en me regardant directement.

— Ça sert à rien. On n'est clairement pas homogènes sur le plan vibratoire.

Puis elle s'était enfuie dans la cuisine, et ce fut la fin de mes aventures paranormales. Une fois de plus j'avais échoué à pénétrer d'autres mondes, celui de la jeunesse contestataire et celui des spectres. Quant à ma sœur, il m'avait semblé qu'elle était là – Matthias soutiendrait avoir senti une présence, un souffle dans son cou, ou des cheveux qui le chatouillaient –, mais c'était comme une lampe qui clignote avant de s'éteindre pour toujours.

Mes parents croisaient Matthias quelquefois, et je pouvais voir sur leur visage, en particulier celui de mon père, tout le mépris que lui inspirait ce garçon aux cheveux ridiculement longs, sa boucle d'oreille, son accent suisse. La première fois, mon père l'avait salué avec un sourire faussement décontracté, mais je connaissais ce regard, ses yeux s'étaient plissés alors que Matthias lui tendait la main sans même se lever du canapé, notre canapé, qui avait pris la forme de son corps.

« Je me demande pourquoi je t'ai inscrit dans la meilleure école privée de Genève », avait dit mon père, un soir, en faisant glisser sa fourchette dans son assiette, déplaçant les morceaux de viande avec une lenteur angoissante. Il avait levé les yeux vers moi, son regard s'était brouillé, avant de s'éclaircir à nouveau.

« Il y a quelque chose que je voudrais que tu m'expliques. »

Il avait levé les yeux vers le plafond, avant de les baisser sur moi. Il souriait. « Avec tous les gens qu'on connaît à Florimont, le fils Delamuraz, le petit Berger, celui qui a participé au Bol d'Or sur le lac, l'année dernière, les fils Pictet, tu te souviens on avait skié avec eux à Verbier, eh bien, avec tous ces garçons brillants, sportifs, bien élevés, comment expliques-tu que toi, tu préfères passer ton temps avec ce demeuré ? Parce qu'entre nous, il est complètement con ce Matthias, non ? »

Ma mère m'avait regardé.

« Pourquoi souris-tu, Benjamin ? ».

J'étais pétrifié à l'idée que je souriais – je n'en avais aucune idée –, et conscient de l'immense déception que je leur infligeais, alors même qu'ils avaient perdu leur enfant la plus prometteuse, (brillante, sportive et bien élevée au-delà de l'imaginable), et que face à leur indicible chagrin, je restais muet, offrant en unique réponse un méchant sourire – un sourire de demeuré.

J'avais marmonné, d'une petite voix plaintive qui semblait appartenir à quelqu'un d'autre, un enfant réfugié très loin dans la pièce.

— Je ne sais pas... On s'entend bien.

Mon père avait froncé les sourcils, comme s'il était surpris par mon insolence, ou ma stupidité.

Durant les quelques mois d'hiver où nous fûmes amis, Matthias Rosset et moi avions mené une existence indolente et narcotique, dénuée de limites et de présence adulte. On aurait dit que la neige qui tombait sans discontinuer cette année-là, des flocons énormes qui flottaient dans l'air et fondaient avant même de toucher le sol, avaient emporté mes parents, ou peut-être étaient-ils juste là, à quelques pas de nous, peut-être la neige et le froid les dissimulaient-ils comme un nuage de condensation sur un gigantesque miroir.

Il me semble aujourd'hui que Summer s'était glissée en moi. Je pensais la voir dans la bise, les reflets mouvants du lac, ou le regard d'un cygne, mais en réalité, elle n'était nulle part ailleurs qu'à l'intérieur de moi. Dans un mimétisme étrange, je m'étais mis à sécher les cours pour traîner dans les rues l'après-midi, m'asseoir sur un banc dans la vieille ville et vider de grandes bouteilles dans lesquelles on avait mélangé du gin et du jus de fruits, et tous ces gestes empreints de morgue qui donnent aux parents la conviction que leur enfant, celui qui leur tendait hier des feuilles pleines de cœurs et de poèmes tracés au crayon, cet enfant-là est mort, remplacé par un étranger, aussi simplement que s'il avait fait glisser une fermeture Éclair le long de son dos, et s'était coulé à l'intérieur de sa peau.

(Allais-je bientôt moi aussi m'évaporer ? Peut-être même avais-je déjà disparu, menant ma vie d'adolescent perturbé, sans même m'apercevoir que je n'étais plus là).

Je faisais les mêmes choses que ma sœur, pourtant, cela ne faisait pas le même effet. Ma mère ne m'avait pas dit, enrobée de cette chose légère, comme un châle de vent et de haine, qu'elle n'aimait pas ce que j'étais devenu. Mon père ne m'avait pas attrapé par le bras, dans un mouvement qui cherche à faire mal, ou jeté sur mon lit en me traitant de pute. Sans doute avaient-ils écoulé toute leur amertume et leur chagrin avec Summer, sans doute n'avaient-ils jamais fondé d'espoir en moi, maman racontait en riant qu'à la naissance j'étais tellement hideux que, durant la nuit, elle avait marché dans les couloirs de la maternité, dans sa longue chemise de nuit, en espérant retrouver son vrai bébé, le beau nourrisson qui lui appartenait.

Et puis, il y eut cette nuit où Matthias et moi prîmes un acide. Je me souviens des petits carrés de carton rose, dans le creux de sa main. Nous étions assis sur notre banc habituel, dans la vieille ville, entouré de buissons maigres et d'une odeur d'urine. Il avait tendu son poing et ouvert sa main avec un sourire qui découvrait ses dents, ce qui lui donnait l'air vaguement menaçant, à la façon d'un chien qui pourrait mordre.

J'avais laissé fondre le buvard sous ma langue. Matthias, silencieux, semblait observer les étudiants sur la terrasse de la Clémence éclairée, on les entendait rire, on entendait leurs verres s'entrechoquer, ils paraissaient si proches et inaccessibles à la fois, évoluant dans un monde dont nous étions séparés par une membrane souple, contre laquelle nous rebondissions, et qui prenait la forme de notre corps, nous donnant un instant l'illusion que nous avancions vers les autres, avant de nous renvoyer d'un mouvement élastique vers notre point de départ. Tandis que je fixais le diamant sur le lobe de son oreille, scintillant dans l'obscurité telle une menace, je m'étais dit que le LSD ne me faisait aucun effet. Il ne se passait rien, mais c'était normal, il ne se passerait plus jamais rien, désormais. Il n'y avait rien à espérer, rien à craindre non plus. C'était comme un soulagement, ou quelque chose de vivant que l'on aurait enfermé dans un placard, et que l'on aurait retrouvé, en ouvrant un tiroir, ratatiné, ou transformé en poussière.

Soudain Matthias avait eu envie de rouler. Il avait fait démarrer sa mobylette, debout sur les pédales, et j'étais monté derrière lui, sans un mot. Nous parlions très peu, j'ai même l'étrange sensation aujourd'hui que nous ne nous parlions pas du tout, nos échanges se faisaient par télépathie, ou peut-être nos dialogues intérieurs se déroulaient-ils uniquement avec nous-mêmes.

Il avait pris la route du lac, le vent semblait étrangement chaud. Puis la route s'était illuminée, l'impression qu'on avait allumé des milliers de réverbères, ou posé des fleurs en feu le long de la chaussée. Au loin elle semblait monter jusqu'au ciel et, contre le dos de Matthias, mes bras autour de sa taille, je m'étais senti empli de confiance et de gratitude, la conviction qu'il m'emmenait vers cette chose impalpable, là-bas, qui dégageait plus de lumière encore, une boule de gaz et de chaleur au rayonnement aveuglant.

Nous avions roulé pendant un temps infini durant lequel des idées voltigeaient dans mon crâne. Elles portaient des noms prometteurs, Vérité, Réponse, Apaisement, elles semblaient à portée de main, s'approchant dans un bruissement d'ailes, un froufroutement soyeux, demeuraient suspendues un instant, juste derrière mes paupières, tournoyaient dans mes globes oculaires, puis filaient dans l'ombre, à toute vitesse, plongeant dans le néant.

Et puis, tout à coup, ce fut terminé, Matthias fit monter la mobylette sur un trottoir, coupa le moteur et tandis qu'il posait ses pieds par terre, m'intimant de descendre en me poussant légèrement vers l'arrière, son dos redressé dans une sorte de nonchalance autoritaire, j'avais réalisé que nous étions revenus à notre point de départ, dans la vieille ville. Derrière nous, le bar de la Clémence, nimbé d'un halo multicolore, ressemblait à une gigantesque aurore boréale.

Je m'étais senti mal. Les muscles de ma mâchoire étaient si tendus que je percevais une douleur jusqu'à l'arrière de ma tête, et mes dents si serrées que j'avais l'impression qu'on les avait soudées. J'avais senti monter une vague, désespoir, chagrin, la conviction que jamais je n'aurais les réponses à mes questions, les questions elles-mêmes étaient désormais inaccessibles, elles étaient reparties dans l'obscurité, elles étaient devenues l'obscurité même, puis l'angoisse avait recouvert la tristesse, mêlée à une poussée de ressentiment à l'égard de Matthias.

J'avais passé les mains dans mon cuir chevelu, on aurait dit que ma peau avait rétréci, et j'avais eu la conviction que quelque chose d'inéluctable était sur le point d'advenir. Au loin, des silhouettes semblaient se diriger vers nous. Elles se tenaient par le bras, emmitouflées dans des parkas dont les cols de fourrure se mêlaient à leur chevelure, leur donnant l'apparence de créatures mi-femmes mi-ours.

Matthias avait sauté du banc.

— Putain mais c'est pas la copine de ta sœur ?

C'était comme si je l'avais vue avant même de la voir. Les filles n'étaient encore que des flammes mouvantes, des animaux gracieux aux visages indistincts, mais quelque chose dans le mouvement de sa main passant sur sa joue, la diffraction de la lumière dans ses cheveux noirs, ou peut-être même un sens inédit du pressentiment, quelque chose m'avait annoncé sa présence, puis son absence, quasiment instantanée. Le temps devenait si extraordinairement lent et distendu, que dans les interstices de l'instant, entre un pas des filles et un autre, entre un mouvement de nuque et le plissement d'une bouche qui recrache la fumée d'une cigarette, alors même que mes yeux s'évertuaient à faire le point, il y avait, à l'intérieur de moi, une clarté aveuglante, une vision du monde parfaite et de tout ce qui allait s'y dérouler.

Jill était entourée de ces deux filles que je ne connaissais pas, et tandis qu'il me semblait sentir mon cœur battre à un rythme aussi lent que le temps, Matthias avait fait un pas dans leur direction.

« Salut Jill. »

Elle avait tourné la tête, et dans l'éternité de ce mouvement, je sus que jamais je ne pardonnerais à Matthias. Sa façon de traiter le réel avec désinvolture tout en se l'appropriant, de me voler tout ce qui m'appartenait, comme si cela n'avait aucune valeur, et qu'il suffisait d'appeler la meilleure amie de ma sœur, pour qu'elle s'approche avec un doux sourire – je voyais son beau visage pivoter au ralenti –, qu'elle s'approche et peut-être qu'elle se penche vers lui, en chuchotant tout près de sa bouche, puis qu'ensuite Summer apparaisse, surgissant de l'obscurité, pour poser sa main sur son épaule, avec quelque chose d'abandonné dans la posture, comme s'il suffisait de se tenir dans la nuit et d'appeler pour que la vie renaisse, et qu'ils se dirigent vers le bar, lui au centre, les tenant serrées contre lui, avec l'avenir claquant dans l'air au-dessus de leurs têtes. On aurait dit qu'il plongeait la main à l'intérieur de moi. Il caressait mes organes, mon cœur, mes poumons, mon foie, il les chatouillait avec ses doigts rongés.

Jill avait levé les sourcils, avec étonnement, en détaillant Matthias qui souriait, les lèvres retroussées, et ses yeux écarquillés trahissaient le sentiment qu'une interaction avec ce genre de garçon n'était pas dans l'ordre des choses.

Puis elle m'avait vu.

Elle avait eu une expression de surprise, à laquelle avait succédé une myriade d'émotions qui m'apparurent successivement, une série d'instantanés entrecoupés d'éternités blanches : il y avait eu la peur – un imperceptible mouvement de recul, les deux filles qui l'encerclaient s'étaient rapprochées, en alerte, collant leurs parkas à la sienne, et leurs cheveux se mêlaient aux siens, formant un ensemble soyeux, un nid où dormiraient des animaux des bois – puis le trouble et le remords – mais cet épisode fut si furtif qu'il n'était peut-être que l'expression de mon espoir –, puis quelque chose qui évoquait la confusion, la gêne, la lassitude, la simple envie d'être ailleurs.

« Ça va, Jill ? Ça va pas mal, on dirait », avait ajouté Matthias, et, il était difficile de déterminer s'il avait lancé cette phrase pour se donner une contenance, s'il cherchait maladroitement à se montrer délicat, ou s'il fallait au contraire y déceler une ironie agressive, un reproche.

Quelque chose céda en moi, le déferlement d'une matière brûlante. Il semblait impossible de contenir la lave qui s'écoulait de Matthias, et dans ma poitrine, comme il semblait impossible de clore les yeux de Jill, ou de les lui arracher. J'avais bondi avec une agilité dont je me serais cru incapable quelques heures plus tôt, un mouvement qui ne pouvait trouver son souffle que dans la haine, j'avais fait basculer Matthias, et mes mains s'étaient mises à lui balancer des claques de façon désordonnée. J'entendais une voix aiguë, qui vociférait « ta gueule, ta gueule, ta gueule », et j'avais réalisé avec un détachement stupéfait, que c'était la mienne, une voix surgie d'on ne savait où, un endroit inconnu à l'intérieur de moi. Mais Matthias ne se laissait pas faire, il avait glissé avec des ondulations de serpent, et soudain, il était au-dessus de moi, assis à califourchon sur mon torse, comme pour un jeu amoureux. Il s'était mis à me frapper, des coups bien plus précis que mes gifles, ils explosaient dans ma mâchoire, projetant ma tête sur le côté, j'avais senti l'os craquer, juste sous mon œil gauche, sans que cela provoque la moindre douleur, tandis que ses poings rebondissaient silencieusement, des coups dans un sac de neige, et le goût du sang, entre mes lèvres, aussi réconfortant qu'un baiser.

Puis ce fut une longue chute, un voyage en apesanteur, avec au loin des images mouvantes, une sorte d'agitation lumineuse, des explosions.

Ma conscience avait quitté les limbes où elle flottait, et réintégré mon corps. Ce corps douloureux, étranger, qui avait mené une vie indépendante et mystérieuse, et qui se trouvait maintenant dans une pièce qui me rappelait quelque chose, face à un homme en chemise, les cheveux lissés sur le front, par une matière brillante, de la gomina ou de la sueur. Lui aussi, m'était vaguement familier. Sur le mur, juste au-dessus de sa tête, on avait griffonné ENCULÉ au marqueur noir, inscription que l'on avait visiblement tenté d'effacer, mais c'était la peinture qui était partie, et les lettres ressortaient avec plus de force encore.

L'homme s'était penché pour me tendre un paquet, lourd et froid. Quelque chose enroulé dans du plastique bleu, que l'on devinait en transparence, un organe humain, un petit animal congelé.

— C'est de la glace pour ta joue. Tu t'es bien amoché.

Je m'étais alors souvenu de lui. C'était l'un des policiers qui était venu à la maison, après la disparition de Summer. Il m'avait fixé avec une intensité qui m'avait mis mal à l'aise, tout le long de mon compte rendu du pique-nique, comme s'il voyait au fond de moi.

— Jean-Philippe Favre, aussi, est bien amoché. Tu sais que son père veut porter plainte ?

Je l'avais regardé avec stupéfaction, le sac de glace envoyait de petits chocs thermiques contre ma joue.

— Jean-Philippe Favre ?

L'inspecteur s'était redressé sur sa chaise, il avait l'air terriblement fatigué.

— Tu ne te souviens pas ? Tu avais pris quoi, hier soir ?

Je l'avais regardé sans rien dire, réalisant que j'étais probablement à l'hôtel de police, où l'on m'avait déjà reçu, mais dans une pièce plus décente, et que de la position de témoin, peut-être suspect, j'étais passé à celle de criminel. Je m'étais demandé si toute ma vie serait cela, désormais, un passage de pièces en pièces, de plus en plus sales, de plus en plus petites, où m'attendaient des interlocuteurs avec des têtes sournoises au-dessus desquelles on pourrait lire ENCULÉ.

Il avait soupiré en me regardant. Il avait saisi les feuilles devant lui et posé les yeux sur ce qui ressemblait un interminable compte rendu.

Puis il avait déroulé le fil de ma nuit. Ou plutôt la nuit du nommé Wassner Benjamin, ce nom qui ressortait en lettre capitales sur les pages qu'il tenait entre les mains, un bloc sombre qui surgissait à maintes reprises.

Apparemment, lenomméwassnerbenjamin avait mené ces dernières heures une vie sauvage, débarrassée de toute inhibition, une vie tout entière dévouée à la pulsion et à la rage. Aux alentours de 23 heures, lenomméwassnerbenjamin s'était battu avec le jeune Rosset Matthias, sur la place du-Bourg-de-Four – le jeune Rosset Matthias étant étrangement envisagé comme une victime ayant tenté, en vain, de contenir, ses assauts de violence. Puis lenomméwassnerbenjamin avait apparemment saccagé la terrasse de la Clémence (renversant des tables, jetant des chaises sur les témoins, une jeune femme, la jeune Duprez Marion, présentant une blessure superficielle dans le cuir chevelu), puis des jeunes gens affirmant connaître lenomméwassnerbenjamin – parmi eux, le jeune

Favre Jean-Philippe – avaient tenté de le calmer, en lui parlant, mais lenomméwassnerbenjamin semblait dans un état second, et s'était jeté sur le jeune Favre Jean-Philippe et l'avait roué de coups, entraînant une plaie à l'arcade sourcilière ayant nécessité une visite aux urgences de l'hôpital cantonal de Genève pour une suture chirurgicale. Les gendarmes arrivés sur les lieux avaient finalement maîtrisé lenomméwassnerbenjamin, qui se débattait, avec force coups de pied et insultes, dans un état de conscience visiblement altéré.

J'avais repéré un autre graffiti, sur le mur latéral : quelqu'un avait griffonné « J'étais là » au crayon. J'avais envié de toutes mes forces la personne qui avait écrit cela, qui pouvait affirmer qui elle était, et où elle se trouvait. Je n'aurais pu être aussi catégorique. Les paupières de l'inspecteur semblaient lourdes, elles battaient rapidement, entre de longs intervalles durant lesquels il semblait somnoler, ou réfléchir au sens de l'existence, à la jeunesse perdue, toute cette violence exténuante.

Je me sentais épuisé, moi aussi. Abattu, avec des douleurs qui se réveillaient les unes après les autres, dans toutes les parties de mon corps, des douleurs mornes, irradiantes qui se répondaient et évoquaient le vide et la faim.

L'inspecteur n'avait pas parlé de Jill. J'essayais de croire qu'elle n'avait rien vu, qu'elle s'était évanouie dans la nuit, les deux filles serrées autour d'elle, mais je sentais le dégoût qui remontait, et l'inspecteur me regardait avec l'air de savoir tant de choses qu'il ne formulait pas.

Il était six heures du matin.

— Tu ne te souviens pas ?

— Non.

Les yeux de l'inspecteur étaient braqués sur mes mains qui se tordaient, l'une contre l'autre.

— Ce ne serait pas à cause de ta sœur ? Toutes ces conneries ?

Je fus saisi de nausée.

Il avait semblé réfléchir longuement à cette éventualité, avant de se lever, dans un mouvement plus souple que je ne l'aurais imaginé, et de quitter la pièce en refermant la porte derrière lui. L'idée me traversa qu'il était parti chercher une arme, pour me frapper, ou des documents qui attesteraient d'une culpabilité bien plus grande encore, comme s'il m'attrapait par la main et me conduisait loin du chemin, là-bas, vers des buissons touffus, où l'on pouvait trouver des choses terribles, ou alors vous faire à vous, des choses terribles. Je savais aussi que je le suivrais, docile, même si je devais ne pas en revenir, ou alors différent, avec cette chose à porter pour le restant de mes jours.

J'avais sursauté quand l'inspecteur avait ouvert la porte. Il tenait un chocolat chaud dans un gobelet en plastique qui semblait ridiculement petit dans sa main. Il l'avait déposé sur le bureau, juste devant moi, avant de se laisser tomber dans son fauteuil.

— Je suis l'inspecteur Alvaro Aebischer, avait-il dit.

Il avait l'air lessivé. Il me regardait avec douceur, je voyais cette lueur au fond de son œil, comme une connivence, ou un piège.

J'avais inspiré profondément.

— Pourquoi ce serait à cause de ma sœur ?

— Elle a disparu. Tu étais là. Ça ne doit pas être facile d'y penser. De ne pas se sentir… coupable.

Il avait sorti de la poche de son pantalon un paquet de cigarettes écrabouillé. Il le faisait tourner machinalement sur le bureau, ses yeux posés sur moi.

J'avais la sensation qu'il me promenait au bout d'une laisse, il la tenait un peu lâche, puis la tirait soudain d'un coup sec, pour m'entraîner, là-bas, dans les taillis.

— Et puis, tes parents…

— Quoi, mes parents ?

J'avais été surpris par le son de ma voix, j'avais peut-être crié. Il fixait le mur, comme s'il regardait des images qui défilaient derrière mon dos.

— On finit toujours par retrouver les gens, tu sais. Ils laissent une trace quelque part, ils passent un coup de téléphone, se font repérer dans un supermarché.

J'avais envie de vomir. Il avait des traces sombres de transpiration sous les bras.

— Alors évidemment, s'il n'y a aucun indice, aucun mouvement…

L'inspecteur avait soupiré, comme si cette idée était trop déplaisante. Il avait brusquement baissé les yeux sur moi.

— Quoi qu'il en soit, les gens ne disparaissent pas comme ça. Il y a toujours une explication. Et elle est souvent extrêmement simple. À portée de mains.

Je regardais mes mains, posées sur mes cuisses.

Mon père était arrivé vers 8 heures, les cheveux en bataille, il était entré dans cette pièce, où il me semblait avoir passé un temps si long que je n'étais plus tout à fait celui qui y était entré. Mon père me semblait moins familier, désormais, que l'inspecteur Alvaro Aebischer, et quand je fermais les yeux, les inscriptions apparaissaient aussitôt, « J'étais là » et ENCULÉ, l'une après l'autre, ou en superposition.

Mon père souriait mais il y avait des poches sous ses yeux. Il avait saisi la main de l'inspecteur avec un mélange de force et de camaraderie, cette énergie vaguement menaçante, car rien ne pouvait s'y opposer. Il ne m'avait même pas regardé, ses yeux m'avaient traversé comme s'il cherchait autre chose, plus loin, dans le coin le moins éclairé de la pièce.

— Je suis désolé, monsieur l'inspecteur. L'adolescence…

Il avait soulevé les sourcils, avec une ironie complice, mais l'inspecteur ne répondit pas.

— J'ai eu Patrick Favre au téléphone. Il ne portera pas plainte. C'est un ami, avait ajouté mon père, ce qui sembla crisper Alvaro Aebischer.

Mon père s'était avancé, il avait posé une main sur mon épaule.

L'inspecteur avait soupiré, fait glisser sa chaise vers l'arrière. Il s'était levé, en m'observant. Il semblait ignorer volontairement mon père, ce qui me rendait nerveux.

— Si tu en as besoin, tu peux me téléphoner. Fais attention à toi.

— Je ne crois pas qu'il faille dramatiser. Vous n'avez jamais eu quinze ans, inspecteur ? avait dit mon père, en serrant la peau de mon omoplate, un peu trop fort. Il souriait toujours, mais la lueur dans ses yeux était illisible.

J'étais monté dans le Range Rover, j'avais dû me hisser péniblement, tout mon corps était douloureux, et l'odeur d'essence et de cuir, confinée dans l'habitacle, m'avait soulevé le cœur. Mon père conduisait silencieusement, et nous regardions tous les deux le plus loin possible. Le lac était du même gris que la route, juste un peu plus brillant. Il semblait s'étendre à l'infini, devant à travers le pare-brise, et loin derrière, dans le rétroviseur. Au large, des points noirs sautaient d'un grand bateau à moteur dans l'eau terne, j'avais eu la vision de plongeurs qui cherchaient quelque chose, là-bas, tout au fond, quelque chose emmailloté dans les algues.

— Papa, je crois que je vais vomir.

Mon père avait freiné brusquement, le Range Rover était monté sur le bas-côté, et j'avais ouvert la portière, pour dégringoler sur un terre-plein humide. Je sentais l'air frais, mouillé sur ma peau, tandis que je crachais un mélange de chocolat et d'eau, agenouillé sur le sol. J'avais été saisi d'une fatigue si grande que je m'étais allongé sur l'herbe, qui semblait un abri douillet où se cacher.

Mon père était toujours au volant.

— Comment as-tu pu nous faire ça, Benjamin ?

L'herbe chatouillait ma joue, et j'entendais sa voix, la fureur contenue, comme s'il était très loin, ou qu'il s'adressait à un autre Benjamin. Je me sentais étrangement indifférent.

— Est-ce que tu penses une seconde au coup de fil que j'ai dû passer à Patrick Favre ? Comment j'ai dû me rabaisser, m'humilier devant ce connard.

Sa voix montait, vibrante. La terre prenait la forme de mon corps, pour me bercer ou m'avaler.

— Pourrais-tu une seconde, juste une seconde, penser à quelqu'un d'autre que toi-même ?

J'avais enfoui mon visage dans l'herbe, j'avais l'impression de reposer dans des bras humides, tandis que montaient l'odeur du lac, les effluves de tous les organismes vivants qui étaient là, juste sous la surface, ils ouvraient leurs yeux vitreux, ils ouvraient leurs bouches, plus sombres que les ténèbres dans lesquelles ils étaient tapis.

— Non, bien sûr que non. Vous avez toujours été tellement égoïstes, ta sœur et toi.

J'avais l'impression que les créatures du lac écoutaient, et j'entendais le souffle du vent dans les branchages, toute la nature semblait s'être éveillée, tandis que mon père demeurait silencieux, maintenant qu'il avait prononcé ces mots qui étaient suspendus depuis toujours, et je me sentais presque apaisé, tandis que je demeurais là, ma joue blessée insensible, mon corps insensible, j'écoutais les créatures du lac qui rampaient, en s'extrayant de la boue, avec leurs branchies qui s'ouvraient et se refermaient, et leurs corps sans pattes qui se tordaient sur la rive.

Mon père avait fini par me relever. Je ne l'avais pas entendu arriver, son déplacement n'avait produit aucun son. Il s'était matérialisé, d'un seul coup, au-dessus de moi, ses bras puissants m'avaient soulevé de terre, et porté/traîné jusqu'au siège de cuir, puis, penché au-dessus de moi, le visage soucieux, il avait délicatement passé la ceinture de sécurité autour de mon corps.

Il s'était installé au volant, et nous étions repartis, le soleil faisait briller la route, et les flaques sur le bas-côté, j'y apercevais un monde miniature miroitant, tandis que mon cœur s'emplissait d'amour pour mon père.

J'avais posé ma main sur son avant-bras.

Matthias Rosset revint en classe avec un œil tuméfié, et la lèvre enflée, barrée d'une croûte épaisse, et ne m'adressa plus la parole. Son regard semblait me traverser, il fixait la fenêtre derrière moi, ou envisageait le planisphère au-dessus de ma tête, perdu dans ses pensées.

Je sentais sa présence, dans les couloirs, ou son regard dans mon dos, en classe, juste derrière moi, mais lorsque j'avais le courage de me retourner, il ricanait avec son voisin, ou grattait sa table avec un compas. Un jour, en entrant dans les toilettes, je l'avais vu devant la glace, penché au-dessus du lavabo, en train de triturer le diamant à son oreille. L'hématome de son œil avait tourné au jaune, il se trouvait plus bas désormais, on aurait dit qu'il avait glissé sur son visage, ce qui lui donnait l'air d'un chiot triste. Il portait un T-shirt AC/DC délavé, le genre de T-shirt qui, à Florimont, vous rangeait illico dans la catégorie des pauvres types. J'avais senti ma gorge se serrer, j'avais eu envie de m'avancer, mais quelqu'un était entré, derrière moi, un grand type qui avait déboutonné la braguette de son jean, et s'était mis à pisser bruyamment, et tandis que Matthias Rosset tournait le visage vers moi, et ses yeux dans lesquels j'avais la sensation de voir mon visage défait, un petit visage misérable dans chacune de ses pupilles dilatées, avec peut-être sa figure à lui qui se reflétait dans mes yeux à moi, j'avais fait marche arrière, et m'étais précipité dans le corridor.

Au mois de juin, Matthias Rosset quitta Florimont pour toujours.

Nous ne nous étions plus jamais parlé, depuis la nuit de l'acide. Il lui était arrivé de me faire un signe de tête, comme par inadvertance, et je sentais mon cœur s'emballer, un éclair de joie, mais il semblait se souvenir de qui j'étais, et détournait aussitôt le regard. Au réfectoire, je le voyais traîner avec Thibaut de Praz, un type de seconde avec de longs cheveux blond filasse, qui était connu pour avoir un crotale dans son jardin. Ils passaient devant moi, épaules voûtées, en tirant leurs bottes du même pas, et je me tassais sur ma chaise, remuant mon yaourt avec résignation. J'étais plus seul que jamais.

Son départ semblait confirmer le message de l'univers : les gens disparaissent de nos vies, c'est ainsi que cela se passe. Certains sont là pour toujours, d'autres, généralement ceux que vous aimez le plus, se volatilisent les uns après les autres, sans explication, ils sont là ensuite ils ne le sont plus, et le monde poursuit sa route, indifférent, à la façon d'un organisme primaire constitué d'eau et de vide se propulsant dans un espace également constitué d'eau et de vide, ou d'un cœur aveugle, translucide, entièrement dédié à sa pulsation.

Les années suivantes furent des années blêmes, elles sont enfouies sous la neige, un blanc crémeux, à perte de vue.

Quand j'essaye de me souvenir de 1994, 1995, 1996, et 1997, il n'y a qu'un vent glacé qui parcourt mes jambes, il s'insinue jusque dans mon cœur tandis que le docteur Traub me regarde, pardessus ses lunettes, comme un professeur patient attendrait la réponse d'un adolescent attardé. Je me sens engourdi, avec des fourmillements au bout de mes doigts, et l'envie impérieuse de dormir.

À cette époque, j'avais vu une quantité infinie de psys. Il y eut le docteur Schüller, une grosse dame au visage mou et au chignon tellement tiré vers l'arrière que je ressentais en la regardant une douleur dans le cuir chevelu.

— Alors Benjamin, tu as quelque chose à dire aujourd'hui ?

Son sourire ressemblait à la lame d'un couteau.

Je haussais les épaules et nous restions là, dans un bras de fer mental durant lequel je faisais défiler dans ma tête des images de jeux vidéo.

Puis il y eut M. Kathan, sophrologue, qui me faisait m'allonger sur le tapis rêche de son cabinet pour accéder à un état de relaxation que je n'atteignais jamais, il suffisait même qu'il prononce ce mot pour que je sente l'angoisse monter, et l'envie de crier, ou de frapper quelque chose, peut-être M. Kathan lui-même. Il me demandait de visualiser l'air qui passait dans mes narines, puis dans ma gorge, mes poumons, et je voyais du sable, de l'eau noire, ou des nuées d'insectes, j'avais la sensation de me noyer et je finissais par me relever en respirant bruyamment. Tandis que j'attendais dans la pièce à côté, sous des tableaux de clowns, M. Kathan, dans ses pantalons flous retenus par un élastique, avait déclaré que « j'ajoutais une démarche volontariste à mes blocages émotionnels », et j'avais entendu la petite voix de ma mère : « Parfois, j'ai l'impression qu'il veut nous faire payer quelque chose », et j'avais été stupéfait, j'ignorais vouloir quoi que ce soit, ou alors seulement ne plus les décevoir.

Il y avait eu aussi le docteur Kopiewski, qui sentait le détergent, ou la morgue. Il disait des choses comme « la tristesse est un don », et il suintait lui-même une telle désolation, avec ses yeux exorbités et sa peau rêche comme du carton, qu'il avait fini par ressembler aux piranhas naturalisés posés sur son bureau. J'avais la sensation qu'on les avait, les poissons et lui, plongés des semaines durant dans une bassine pleine de gros sel, ils avaient les mêmes plis d'amertume au coin de la bouche.

Et puis une autre femme, qui faisait de l'haptonomie. Elle me demandait d'enlever mon T-shirt avant de me faire m'allonger sur un lit recouvert d'un tissu sud-américain, et me touchait le dos avec ses doigts glacés, tandis qu'un courant d'air froid s'infiltrait sous la porte, et j'avais l'impression que c'était le souffle des femmes enceintes patientant dans la salle d'attente, avec leurs airs exténués et leurs regards hostiles, qui remontait jusqu'à moi.

Pour l'anniversaire de la disparition de ma sœur, ma mère avait été invitée au journal télévisé. J'avais été abasourdi d'apprendre que, pendant l'enquête, il y avait eu des pistes, des appels téléphoniques, des témoins ayant cru apercevoir ma sœur près de Neuchâtel, ou à Zürich, que tout cela n'avait mené nulle part. J'avais été surpris, aussi, d'apprendre que c'était ma mère, et non mon père, qui avait l'habitude de s'exprimer en public, avec ses sourcils relevés, son sourire lointain et si parfaitement médiatique, comme s'il faisait un effort généreux pour se mettre au niveau de ses interlocuteurs, qui allait se rendre sur le plateau de la Télévision suisse romande *en direct* – jamais, depuis des mois, ma mère n'avait prononcé le prénom de Summer, ni évoqué ma sœur d'une façon ou d'une autre –, mais lorsque je l'avais vue à l'écran, les lèvres et les joues roses, l'air à peine plus âgée que sa fille, dont le visage était projeté en arrière-plan – une photo que je ne connaissais pas, *qui* leur avait donné cette photographie, qui avait eu l'idée, *et la force*, de chercher une image *inédite* ? –, j'avais admiré, avec une sorte de vertige glacé, l'instinct des journalistes qui savaient ce qu'ils faisaient.

J'avais vu ma mère à l'écran, avec ce maquillage parfait, les jambes croisées, les mains sagement posées sur ses cuisses, ces mains qui quelquefois, s'agitaient dans l'air pour terminer ses phrases, sa silhouette élégante incrustée dans le visage géant de Summer en arrière-plan, comme si elle sortait de sa bouche ou de ses rêves.

Le présentateur du journal, un beau gosse bronzé et bien coiffé, paraissait ridiculement jeune. Il jetait des œillades à ses fiches, en hochant la tête, puis levait les yeux vers ma mère, penché en avant, on avait l'impression qu'il allait s'allonger à ses pieds.

— Madame Wassner, c'est la première fois, je crois, que vous vous exprimez sur la disparition de votre fille, il y a un an très exactement.

Ma mère acquiesçait, elle avait l'air d'une jeune fille égarée, éblouie par les projecteurs.

Ses beaux yeux luisaient, elle jouait nerveusement avec les plis de sa jupe, ce qui donnait envie de la serrer dans ses bras, ou de hurler.

Le journaliste – ses dents blanches, étincelantes –, évoquait les faits, les fausses pistes, « le mystère insupportable », et ma mère secouait son petit menton volontaire. Elle semblait pleine de gratitude, comme s'il formulait exactement les pensées qu'elle avait gardées trop longtemps au fond d'elle. Il prononçait le prénom de ma sœur, « Summer, Summer », le jetant dans le monde avec désinvolture, le répétant à l'infini, comme s'il la connaissait, comme s'il avait lui-même traversé cette année.

Je ne pouvais détacher mes yeux de la télévision, et j'avais vu ma mère s'adresser à la caméra, la lumière éblouissante sur son visage :

— Si vous savez quelque chose, si vous pouvez nous aider, je vous en prie, faites-nous signe. Une mère… une mère ne peut pas vivre sans savoir ce qu'est devenu son enfant… ce n'est pas possible.

Un numéro de téléphone, en chiffres fluorescents, défilait sur le bas de l'écran, tandis que la caméra zoomait sur le visage de ma sœur qui semblait prêt à prendre vie.

Quand je dis au docteur Traub que je ne me souviens de rien, que ces années se résument à de déprimantes séances de thérapie et un passage au journal télévisé, son front se plisse, et il soupire, en fixant la table comme s'il cherchait à y distinguer quelque chose, à lire dans les reflets du cuir.

— Vous dites, Benjamin, que vous ne vous souvenez pas, mais vous avez fait preuve ici d'une mémoire assez stupéfiante.

Je hausse les épaules. Le docteur Traub a l'air exténué aujourd'hui, j'ai la sensation qu'il est fatigué de mon cas. Il ne me pose même plus de questions au sujet de mes rêves, nous avons fait le tour de Summer dans l'eau ou dans l'air, dans sa chemise de nuit bleue, sans doute est-il lassé d'attendre que je comprenne, sans doute sait-il maintenant que rien de tout cela ne donnera rien.

— Vous savez, le cerveau humain a une formidable capacité de stockage. Il enregistre tout, il n'efface rien.

Il sourit, avec un mélange de bienveillance et de distraction.

— Il y a des choses qui sont là, Benjamin – il pose un doigt sur sa tempe pour souligner son propos, puis se lève et me raccompagne à la porte, avec son sourire confiant. Je m'éloigne dans le couloir qui me semble terriblement étroit, et quand je me retourne, il est toujours là, dans l'ombre, il me sourit, son index pianote sur sa tempe. Je vois sa bouche mobile qui prononce des mots muets.

Je sors de l'immeuble et la lumière me fait mal, cette lumière brutale de l'été que je ne supporte plus. Je marche dans la ville, qui me semble aussi étroite que le corridor, je marche de plus en plus vite, des voix lointaines semblent arriver jusqu'à moi après avoir traversé des vallées ou remonté des gouffres, l'une sûre d'elle, autoritaire, *il y a des choses qui sont là, Benjamin,* et une plus frêle, presque implorante, *une mère doit savoir ce qui est arrivé à son enfant,* et, en levant la tête, je réalise que j'ai marché jusqu'au chemin de Roches.

C'est là-bas, au bout de la rue, que se trouvait la maison de Marina Savioz.

Il faut que je voie la maison. C'est une nécessité urgente, incontrôlable. Je suis terrifié à l'idée qu'elle ait été emportée, ou se soit fondue dans l'espace et le temps, et avec elle ses arbres désordonnés, sa piscine qui recelait tout au fond, là où l'eau avait la couleur du lichen, quelque chose de nous, quelque chose d'opaque et de fragile que j'ai laissé filer.

Peut-être est-ce la seule chose qui reste à faire quand on n'a plus ni souvenirs, ni émotions : retrouver des vestiges, creuser avec ses doigts dans la terre, reconstituer des squelettes, épousseter les fossiles, mais même là, il est probable qu'on ne parvienne jamais à saisir la vie qui les animait, pas même à l'effleurer.

Je marche de plus en plus vite, je transpire dans mon jean, et mon T-shirt noir. Tout au bout de l'avenue, que j'atteins presque en courant, j'aperçois le chemin de terre, qui mène à la maison, incongru entre les immeubles luxueux, et le supermarché moderne, de l'autre côté de la route, comme le vestige d'une autre ville, et d'une autre vie. Et le portail qui est toujours ouvert, son métal écaillé couleur sapin, avec au fond, cachés par des frondaisons odorantes, peut-être moins épaisses que dans mon souvenir, les murs clairs de la vieille bâtisse, dont la vision fait éclore en moi un sentiment de liberté et d'espoir, il surgit intact du passé, comme s'il s'échappait d'un gobelet en carton sur lequel on aurait, pendant un temps infini, posé la paume d'une main.

Mes pieds s'enfoncent dans la terre. Je m'avance vers le perron, ses marches basses sur lesquelles je revois soudain Marina et ma mère, fumant nonchalamment dans la clarté du crépuscule, laissant tomber la cendre sur leurs cuisses nues.

C'est Marina qui ouvre, comme à l'époque, elle porte une robe hippie, ses cheveux défaits, à peine moins longs.

Elle me regarde, une lueur interrogative dans l'œil.

— Bonjour Marina... C'est moi Benjamin. Benjamin Wassner.

Sa bouche s'écarte en un O silencieux, son regard s'agrandit, des rides pareilles à des griffures apparaissent au coin de ses yeux, et puis elle s'avance, et je me retrouve dans ses bras, enveloppé d'un parfum de chair, et de fumée.

Je la suis jusqu'à la véranda, nous nous faufilons entre des cartons, des sacs en plastique empilés en tours instables.

— Ils vont détruire la maison, tu sais. Pour construire une résidence, des immeubles de dix étages. On déménage la semaine prochaine, à

Champel, un appartement, juste en face de l'école primaire.

Elle parle, comme si ma présence était familière, que j'étais encore ce garçon maigre de quinze ans, et non pas ce type transpirant aux yeux décavés, elle cherche peut-être à se donner une contenance, ou c'est ainsi que cela a toujours été, dans le monde de mes parents : le vernis social et de politesse étouffe les émotions, comme des insectes dans un bocal de verre.

Je m'assieds sur un canapé en velours, qui semble avoir accumulé une vie de poussière, Marina se laisse tomber dans un fauteuil en rotin. À nos pieds, des piles de magazines gondolés, des tissus indiens, des pots de terre d'où émergent des plantes rachitiques. Tout est si familier, un voyage dans le passé ou un songe où tout serait lustré et déchirant, un monde se disloquant à l'instant même où l'on pose les yeux sur lui.

Je me souviens pourquoi j'aimais tellement venir ici, enfant, cet aspect de déclin, et d'abandon, l'inverse de notre maison, où tout ressemble à un combat contre l'altération, la saleté ou la mort, et qui finit par être la mort elle-même.

— Cela me fait bizarre, d'imaginer que tout ça va disparaître…, dis-je.

Marina allume une cigarette, je vois les mèches grises et blanches dans ses cheveux. Ses bras et ses épaules semblent plus charnus. Je retrouve cette beauté un peu sauvage, mais une version floue, que l'on aurait laissée tremper dans l'eau.

— Tant de choses ont déjà disparu, dit-elle, en souriant. Il n'y a aucune nostalgie dans sa voix.

Je sens son regard. J'ai envie de boire quelque chose de fort, ou de me défoncer.

— Tu me fais penser à Franck, dit-elle, en relevant un genou devant elle. C'est drôle, je n'avais jamais remarqué que vous vous ressembliez.

— Comment va-t-il ?, et je regrette aussitôt ma question, j'ai l'impression que je vais entendre quelque chose de terrible, ou pire, de banal, que sa vie à lui s'est déroulée, contrairement à la nôtre.

Elle s'enfonce sur sa chaise, comme si je lui avais lancé un coussin, juste entre les côtes.

— Bien, je crois. Aux dernières nouvelles, il vivait à Lyon… Ou à Paris.

Elle sourit, bravement.

— Tu vois, moi qui me demandais comment faisait ta mère pour continuer, sans ta sœur… Je ne comprenais pas. Ton père se démenait, il en a même voulu à Franck, mais c'était irrationnel, c'était le chagrin. Mais elle… Et puis, voilà, moi c'est pareil. Je ne sais même pas où est mon fils.

Elle écrase sa cigarette dans un cendrier plein en forme de cœur avec une sorte de rage, je l'imagine fumant toute la journée, entourée de plantes agonisantes et de journaux périmés.

— Comment va-t-elle, ta mère ?

J'ai l'impression que nous nous renvoyons une balle de tulle et d'air, quelque chose de léger et d'effilé.

— Ça va, je crois.

Nous sourions. Nous sommes heureux de nous voir, il me semble, et nous restons là, avec nos fantômes, le léger parfum d'eau et de feuilles qu'ils laissent derrière eux.

— Elle me manque. Nous avons traversé tant de choses. Se retrouver, presque gamine, avec un enfant sur les bras, toute seule…

Je me redresse. Je dois avoir l'air surpris ou paniqué.

— Ils ne t'ont rien dit ? Elle tapote sur son paquet de Marlboro, les yeux baissés. Je pensais qu'après ce qu'il s'était passé, ils te le diraient.

— Qu'ils me diraient quoi ?

J'entends ma voix tendue, un nœud sur une corde.

Je le savais sans doute, j'ai été porté jusqu'ici sur un fleuve noir, j'ai suivi le flot pour atteindre ces mots. Elle allume une autre cigarette, aspire en plissant la bouche, la fumée fait disparaître son visage un instant.

— Que ton père n'est pas le père de Summer.

J'écoute Marina, je sens quelque chose bouger en moi. Ses mots résonnent, étrangement lointains, une partie de moi est absente, tandis que l'autre laisse simplement émerger cette chose, elle fait remonter le long d'un fil ce qui était là, enfoui, elle tire doucement, et la chose se soulève.

Elle me raconte que c'est mon père qui lui a présenté ma mère. Elle se souvient de son air égaré, et de son sourire bien élevé. Elle avait vingt-cinq ans, mais l'air d'en avoir seize, de longues jambes, les yeux maquillés comme une égyptienne. Derrière elle, presque invisible, une petite fille blonde jouait sur la moquette avec des pièces de monnaie.

— Ton père avait l'air fou d'elle, et de la petite aussi.

Elle venait de Paris, elle disait qu'elle était comédienne, mais quand on lui demandait ce qu'elle avait fait, elle donnait des réponses floues, en balayant le vide. Pour l'enfant, personne n'a posé de questions. Ils se sont mariés, mon père a reconnu Summer, ils formaient une sorte de couple parfait. Tout le monde a fini par oublier que la petite n'était pas de lui.

Mais quand Summer a disparu, Marina y a pensé. Ça lui faisait comme un pincement désagréable, elle revoyait la petite fille sur la moquette en arrière-plan, qui semblait s'appliquer à remuer le moins d'air possible. Elle s'est souvenue que ma mère lui avait dit, quelques années plus tard, en agitant sa coupe de champagne framboise, qu'elle n'avait été amoureuse qu'une seule fois, que cela ne lui avait pas réussi. Marina avait pensé à mon père, elle s'était dit que ma mère était une enfant gâtée. Elle ne semblait pas vraiment là, elle était de plus en plus froide et distraite, elle suivait sa fille avec un regard étrange. Elle l'avait entendue dire à mon père : « Summer, tu ne me la prendras jamais. »

— Ton père adorait ta sœur, tu sais. C'est un homme extraordinaire.

Marina se lève, son regard s'éclaircit. Je vois ses paupières battre, comme si elle éparpillait des pellicules de passé.

Je n'ai rien dit. J'ai simplement demandé si je pouvais marcher un peu.

Nous avançons dans le jardin qui ressemble à la jungle mélancolique qu'il a toujours été, pourtant il n'est plus le même. On dirait qu'un film recouvre tout, une sorte de voile posé sur l'univers, à moins qu'il ne se soit posé juste sur mes yeux, un voile qui ressemblerait à un rêve, ou au mensonge.

Au loin, j'aperçois les eaux vertes de la piscine. Deux chaises longues se font face, constellées d'aiguilles de pin, une petite flaque d'eau noire dans le creux de la toile. Il me semble que personne ne vient plus jusque-là, des herbes poussent entre les dalles.

Je vois Summer, enfant, penchée au-dessus du bord pour ramasser une coccinelle, Franck, qui arrive silencieusement derrière elle, et la pousse dans l'eau, en riant comme un dément. Je les vois retenir leur respiration et plonger la tête sous l'eau, leurs doigts pâles qui s'agrippent au rebord. Je vois leurs ombres, tandis qu'ils nagent d'un bord à l'autre en apnée.

Je n'ai aucun souvenir de moi dans cette piscine.

L'eau me coupe le souffle. Elle est glaciale, et j'ai la sensation de déplacer des masses onctueuses. Marina, les mains sur les hanches, me regarde avec l'air d'un capitaine suivant les opérations depuis le pont du navire.

Quand je lui ai demandé si je pouvais nager, d'une voix qui m'a semblé sans consistance, elle a tourné la tête vers moi, sarcastique : « Ce sera bien la première fois que je te verrai te baigner. » Elle s'est éloignée en direction de l'abri de jardin, qui semble proche de l'effondrement. Elle a tiré sur la poignée comme si le temps l'avait scellée, avant de disparaître à l'intérieur, et j'ai eu la sensation qu'elle plongeait dans le passé, dans une odeur de moisi et terre, et je me suis souvenue de Summer toute mouillée, qui faisait semblant de vouloir m'embrasser sur la bouche, sous le masque de plongée en caoutchouc préhistorique et les draps de bain tout raides suspendus à des clous.

Marina est sortie de l'ombre, elle s'est approchée tout près de moi, m'a tendu un morceau de tissu rouge blanchi par le temps.

— Tiens. C'était le maillot de Franck.

L'eau sur mon torse est coupante comme de la glace. J'inspire et je plonge, il fait si sombre qu'on dirait qu'il n'y a pas de fond, ou peut-être un royaume d'algues et de gorgones, dans des profondeurs inimaginables, qui se balanceraient doucement dans le courant, et s'ouvriraient à la façon d'un rideau sur un autre monde où l'on pourrait respirer, marcher dans des grottes.

À la surface, j'aperçois la robe de Marina, une tache floue et colorée, et je descends plus bas encore, là où le bassin est le plus profond, je glisse sur le carrelage, entre les débris de feuilles et d'écorce qui dérivent.

Je m'allonge, juste au-dessus de la grille, là où Summer et Franck aimaient s'asseoir en tailleur, les yeux fermés, tels d'impassibles yogis.

Je reste là, étendu de tout mon long, le plus longtemps possible, j'entends le mouvement de l'eau, les milliers de litres au-dessus de ma tête, qui bougent. Je reste immobile jusqu'à ce que je n'aie plus d'air dans mes poumons, puis, d'un coup de pied, je remonte à la surface.

La lumière m'éblouit. J'inspire un air neuf, comme si désormais, je n'étais plus tout à fait le même, de la même façon que Summer, n'est plus tout à fait la même, ou Franck, ni personne d'ailleurs.

— Tu es vraiment devenu un beau garçon.

Marina me tend une serviette de bain rêche, et je sens ses yeux sur moi, comme si elle réalisait soudain avec étonnement que j'avais grandi, elle me dévisage avec un mélange d'intérêt et méfiance. Je me rhabille à toute vitesse, tandis qu'elle regarde ailleurs.

Quand elle me laisse sur le chemin de terre, à l'ombre fraîche des feuillages, je reste là, à me balancer d'un pied sur l'autre, sans savoir quoi dire. Elle me serre dans ses bras avec une timidité nouvelle.

Je me retourne pour lui adresser un signe de la main, elle se tient les bras croisés sur la poitrine, sous l'arche de branchages, avec ses longs cheveux qui semblent encore plus striés de gris qu'à mon arrivée, comme si le temps passait à toute vitesse, et j'ai soudain l'impression que derrière elle les feuilles et les fleurs se recroquevillent en accéléré, que la maison est avalée par la pelouse, et la piscine effacée de la surface de la terre par une coulée de béton qui achève de recouvrir nos secrets.

Je ne sais plus du tout qui elle est, pourquoi elle m'a parlé, et sans doute me regarde-t-elle m'éloigner, saisie d'un léger étourdissement, en se demandant pourquoi elle a parlé et qui est cet inconnu qui accélère le pas, les cheveux humides, le buste voûté, avec à l'intérieur de lui un paysage qui se transforme à toute vitesse, exactement de la même façon que tout le reste en ce monde.

À la cafétéria de l'université, une fille s'était approchée, sa peau était lumineuse, juste au-dessus de ses lèvres.

— J'ai parié un verre avec mes amies que je pourrais te faire sourire.

Elle avait indiqué d'un mouvement de tête deux grandes brunes, attablées un peu plus loin.

— Tu as l'air tellement triste. Elle souriait en mordillant son doigt. Ne les laisse pas gagner, s'il te plaît.

J'avais souri. Elle s'était assise, posant ses coudes sur la table, et son visage dans ses mains en coupe.

C'est ainsi que cela avait commencé. Le renversement des pôles magnétiques. La transformation du monde en une matrice gorgée de sang et d'hormones.

J'avais vingt et un ans, et soudain, les filles me voyaient. Alors que je tentais de trouver un sens à des études d'économie, sorte d'immensité stérile et angoissante, le réel devenait brutalement organique, embrumé d'effluves de peau, de transpiration, de parfums acidulés de baumes à lèvres et de lotions pour le corps.

C'était de l'ordre du soupir ou de l'électricité. Il y avait dans les yeux des filles de la curiosité, de la douceur, un tourment, comme si elles cachaient une blessure infectée sous le coton de leurs chemisiers. Je ne sais si ce sont ces regards posés sur moi, qui ont entraîné cette chose insensée, cette révolution biologique totalement inattendue, ou si c'est l'inverse, mais on aurait dit que mon enveloppe de peau se fissurait pour laisser émerger un garçon inconnu.

Soudain, mes pulls étaient trop serrés, et mes jeans trop grands. Il y avait des poils noirs, piquants, sous la peau de mes joues, et dans le creux de ma poitrine, là où longtemps j'avais cru qu'était enchâssé mon cœur, et dont il semblait qu'une main aurait pu l'extraire sans effort, à cet endroit-là, surgissaient des poils durs qui évoquaient un animal de la forêt, un sanglier, un vison. Sous mes yeux, des taches bleutées s'épanchaient comme des lacs obscurs. Je transpirais dans l'amphithéâtre en regardant la nuque des filles qui soulevaient leurs cheveux, leurs bras qui s'allongeaient au-dessus de leur tête, dans un étirement paresseux, leurs bracelets en métal argenté dégoulinant jusqu'à leurs coudes.

J'avais couché avec Sonia, la fille de la cafétéria, cela avait été aussi simple que d'entrer dans l'eau tiède d'une rivière. Elle m'avait invité à une fête, dans un appartement immense et vide, où des étudiants dansaient dans l'obscurité, et où l'on stockait les bières dans une baignoire d'eau glacée, le genre de soirée où chacun semblait à la fois seul et en communion avec les autres. J'étais mal à l'aise, et impressionné, mais personne ne semblait s'en apercevoir, les invités avaient des mouvements amples et lents. Je leur enviais cette capacité à avoir si peu conscience d'eux-mêmes, tandis que j'étais en permanence aux aguets. J'entendais un rire étouffé, alors que je fumais un joint sur la terrasse, et j'avais la sensation que j'étais démasqué, mais ils se détournaient pour mieux fixer le vide de la nuit. Sonia allait et venait, portée par le courant souterrain de la fête, évoluant d'un groupe à l'autre, penchée sur le bar pour attraper un verre en plastique, puis à nouveau à mes côtés, sa main dans le bas de mon dos, glissée dans mon jean, ou collant ses seins contre ma chemise, avec le même naturel.

Vers cinq heures du matin, nous étions remontés dans sa voiture. Elle avait conduit, sans un mot, des colonnes de lumière rose tombaient sur le pare-brise. Elle s'était garée dans ma rue, et en l'espace d'un souffle, elle était nue, allongée sur ma couette, les bras tendus en l'air comme pour recevoir un cadeau, ou un ballon géant.

Ma vie étudiante finirait par ressembler à cette soirée, un mouvement sans origine ni objectif, une sorte de flux sans mémoire. Je ne me sentais plus en colère, ni accablé, ni coupable. Mon corps suivait le mouvement, mes tics avaient presque disparu, je faisais du sport, je courais le matin dans le parc des Bastions, autour de l'université qui se dressait dans l'ombre telle une gigantesque ombre portée. J'entendais battre mon cœur dans l'obscurité. Des étudiantes encore assoupies traversaient la pelouse pour rejoindre leurs cours matinaux, les plis de la nuit dans leurs cheveux.

Les souvenirs s'estompent, c'est le secret. Le temps les dilue, des morceaux de sucre dans un récipient d'eau froide. Nous faisons, et refaisons, les gestes qui nous ont blessés, nous jetons et rejetons à la mer une nasse lestée de poissons transparents.

Sonia était ressortie de ma vie avec le même sourire gracieux et désinvolte que celui avec lequel elle y était entrée. J'ai retrouvé dans une boîte à chaussures des mots chiffonnés, et quelques photographies, des filles qui sourient à l'objectif. L'une d'elles baisse un soutien-gorge rose sur ses seins. Une autre disparaît dans le nuage de fumée de la cigarette qu'elle tient entre ses doigts. Je n'ai aucune idée de son visage, je suis incapable de m'en souvenir. Sur une feuille quadrillée arrachée à un cahier, on a écrit : « pourquoi pourquoi POURQUOI ? »

Quelles que fussent mes peines alors, je les avais laissées comme on dépose un manteau. Ou peut-être les avais-je confiées à toutes ces filles qui se prenaient en photo, qui glissaient des mots dans mes livres scolaires ?

Elles semblaient persuadées qu'il y avait dans mon cœur un chagrin qu'elles seules pourraient dissiper. Elles passaient tendrement leurs doigts sur mes yeux, ou se transformaient en bête sauvage nocturne, leur langue se glissant dans les lieux les plus extravagants de mon anatomie. Elles m'apportaient des plats cuisinés dans des tupperware, un gratin de macaronis recouvert d'un film plastique, des beignets roulés dans de l'aluminium, un poulet grillé entier. Elles sonnaient à ma porte avec un sourire timide, en secouant leurs boucles d'oreilles. Elles me tendaient un sachet d'herbe, un polycopié surligné, ou des provisions comme les membres courageuses d'un réseau clandestin. Elles m'auraient fait passer des armes, un pistolet dans un torchon de cuisine, un grand couteau sous leur duffle coat, si elles avaient estimé que j'aurais pu m'en servir pour exterminer ma mélancolie.

Je me souviens d'elles, bien entendu ; Paola qui pensait que la parole lacanienne me libérerait, Anne-Sophie qui voulait m'emmener prier à l'église, Déborah qui enroulait son mégot sur sa langue avant de l'avaler.

Pour d'obscures raisons, elles projetaient sur moi leurs rêveries romantiques. Je les voyais flotter dans l'air, des sphères légères et pleines de vide. Mais leurs attentions ne signifiaient rien, rien de plus qu'une charge hormonale qui circulait dans nos organismes, des signaux chimiques nous appelant à la copulation et à l'oubli.

À cette époque, j'étais constamment entouré de filles. On aurait dit qu'elles s'étaient passé le mot, ou peut-être était-ce le mystère féminin, une sorte d'instinct grégaire, qui les faisait subitement se diriger dans la même direction, à la façon des grandes migrations dans la savane. Je marchais, et elles se plantaient devant moi, au self-service, à l'entrée du grand auditoire, pour me demander du feu, ou la salle du cours de droit international. Elles me parlaient de la nécessité d'être heureux, en se blottissant contre ma poitrine. Elles voulaient que je leur parle de ma sœur, elles voulaient savoir ce que je ressentais, me demandaient de raconter la journée du pique-nique en se tripotant les lèvres.

Elles avaient lu des choses sur Summer, ou on leur en avait racontées, et semblaient envisager la résolution du mystère de sa disparition comme une mission personnelle. Leur imaginaire exotique, leurs scénarios pour tenter d'expliquer ce qui était arrivé à ma sœur – elle avait rejoint la secte de l'Ordre du Temple solaire, été enlevée par un prétendant fou en ballon dirigeable, elle vivait dans la forêt et chassait avec un arc – me semblaient aussi irréels que son existence même.

À cette époque-là, Summer dérivait si loin dans ma mémoire qu'elle n'était plus qu'un point dans l'infini, le plus petit élément constitutif de l'espace, elle n'était qu'une donnée à l'intersection de deux réels, l'avant et l'après.

« Elle doit beaucoup te manquer », m'avait dit Sonia, adossée aux oreillers dans mon lit, ses seins posés sur les draps comme deux petits globes de porcelaine, et je n'avais aucune idée de qui elle parlait.

Où sont les êtres que l'on a perdus ? Peut-être vivent-ils dans les limbes, ou à l'intérieur de nous. Ils continuent de se mouvoir à l'intérieur de nos corps, ils inspirent l'air que nous inspirons. Toutes les couches de leur passé sont là, des tuiles posées les unes sur les autres, et leur avenir est là aussi, enroulé sur lui-même, rose et doux comme l'oreille d'un nouveau-né.

À cette époque, Summer n'existait plus que dans la conscience des filles, un lieu bruissant suspendu au-dessus de leurs têtes. Je me souviens qu'Anne-Sophie – ou Camille ? – s'était mise à sanglo-ter brutalement en découvrant que le sweat-shirt California University que je lui passais quelquefois pour dormir avait appartenu à ma sœur.

Je l'avais prise dans mes bras, partagé entre l'envie de la consoler et celle de la secouer violemment. Ses larmes avaient laissé des traces noires sur mon peignoir en éponge, comme de petites empreintes sur la neige.

Elles ne supportaient pas l'idée qu'il ait pu arriver quelque chose à ma sœur. Elles étaient si convaincues de leur existence, de leur présence centrale dans l'univers, que l'idée même de la disparition de l'une des leurs était intolérable. Que serait devenu le monde sans elles ? La traînée blanche d'un avion sans leurs yeux levés vers le ciel, le bruissement de l'herbe, sans leurs grandes enjambées élastiques ? Ils auraient simplement cessé d'exister.

Leurs gestes gracieux, leurs rires haut perchés, tout démontrait combien elles se sentaient sûres d'elles-mêmes, de la vie qui circulait dans leurs veines. Elles étaient immortelles, et je les enviais, et les détestais pour cela.

« Elle est peut-être au fond du lac », avais-je marmonné en haussant les épaules.

J'avais vidé mon verre, en regardant les trois ou quatre filles à ma table, au sous-sol du pub irlandais où nous nous retrouvions après les cours. Elles avaient, une fois de plus, élaboré les hypothèses les plus invraisemblables au sujet de Summer. On aurait dit qu'elles seules pouvaient, en qualité de jeunes filles, à la beauté et à l'assurance similaires, déchiffrer son âme. Elles échangeaient avec passion, les sourcils froncés, on aurait dit une assemblée de paléographes cherchant à décrypter une langue morte.

J'avais ajouté, le plus calmement du monde : « C'est une éventualité. Des gens se noient tous les jours dans le Léman. »

Elles m'avaient jeté des regards douloureux, offensés. Sans rien dire elles avaient écrasé leurs cigarettes, et s'étaient levées, toutes ensemble, pour se diriger vers le flipper. J'étais resté là, tandis qu'elles se tortillaient devant la machine, lui donnant de grands coups furieux, comme si la bille métallique qu'elles renvoyaient de toutes leurs forces contre les cliquets lumineux était la mort elle-même.

Quand je repense à cette période, je vois un fleuve puissant et paisible qui m'emporte, contre lequel je ne résiste pas. Je vois une fille endormie, sa chevelure étalée en étoile sur l'oreiller, ou des boucles blondes qui chatouillent mon visage, ou des cheveux courts et châtain, elle dort, sur le flanc, un bras glissé sous ses cuisses, ou allongée sur le dos, en T-shirt ou complètement nue, des images douces et interchangeables, éclairées par les reflets de la saison, une lumière dont les nuances varient délicatement pour indiquer le passage du temps, comme si j'habitais une chanson.

Cela aurait pu continuer sans fin.

Il m'arrive d'imaginer quelle aurait été ma vie si je n'avais pas revu Jill, cet été-là.

C'était le mois d'août, et nous étions une petite bande, rassemblée sur les quais pour voir les feux d'artifice des fêtes de Genève. Il y avait du monde partout, assis sur le muret, debout sur la route, les voiliers et les canots à moteur, se passant d'un pont à l'autre des bouteilles et des saucisses tièdes. Nous attendions le coup d'envoi des feux, en écoutant le claquement des voiles, des draps tendus sur du métal.

Le bateau appartenait au père de Camille, une blonde athlétique avec qui je sortais depuis quelques semaines. Je l'avais emmenée un dimanche chez mes parents, elle avait déployé un paréo au milieu de la pelouse pour y allonger ses longues jambes luisantes. Mon père l'avait regardée avec stupéfaction.

« Eh ben, mon salaud ! » Sa voix vibrait de fierté et je sentais son regard songeur, comme s'il se revoyait au même âge, ou qu'il se souvenait soudain qui j'étais.

Cet été-là, j'avais obtenu ma licence, avec la même facilité et le même détachement que tout le reste. L'avenir semblait prêt à se dérouler à la façon d'un ruban de satin, doux et vide.

La nuit s'était mise à crépiter. Des fusées sifflaient dans le noir, on les regardait filer à toute vitesse, en retenant machinalement sa respiration, avant de reprendre son souffle lorsqu'elles éclataient en bouquets scintillants, les unes après les autres, une infinité de paillettes qui retombaient en pluie légère au-dessus de l'eau. Des larmes mauves, des fontaines argentées, des anémones orange et des comètes étincelantes, tout un monde multicolore prenait vie dans le ciel immense, et profond. Sous les déflagrations, le lac paraissait extraordinairement sombre et silencieux.

Il y avait une odeur de fumée. Des silhouettes se penchaient sur les bastingages en tordant le cou, des couples se tenaient par la taille, le menton levé vers le ciel.

Soudain, je l'avais vue. Jill, debout sur le pont d'un voilier, un verre à la main. Elle regardait droit devant elle.

Ses longs cheveux noirs soulevés par le vent se fondaient dans l'obscurité, comme si elle portait sur ses épaules la nuit elle-même. Son T-shirt noir décolleté descendait juste au-dessus de ses seins, et l'on pouvait voir sur sa peau les reflets changeant de l'eau.

Elle avait tourné la tête dans ma direction. Ses paupières s'étaient mises à battre à toute vitesse.

Je m'étais baissé précipitamment pour ramasser la cigarette qui m'avait échappé. Elle roulait sur le pont à toute vitesse, et l'espace d'un instant, j'avais entrevu la catastrophe : le voilier en feu, puis tous les bateaux de la rade.

Quand je m'étais redressé, balançant le mégot par-dessus bord, elle avait disparu. Elle s'était évaporée, à la façon de ces auto-stoppeuses fantômes qui traînent la nuit, sur les routes nationales.

Je respirais de plus en plus vite avec la sensation d'avoir déjà vécu cet instant, un rêve familier, une galerie de miroirs où chaque geste est le reflet du même geste répété à l'infini.

— Salut.

Elle était là, juste devant moi. Si proche que je pouvais voir la réverbération des feux d'artifice dans ses yeux, on aurait dit l'éclosion d'un bouquet de fleurs multicolores, ou la naissance de l'amour.

Elle me fixait avec une intensité qui me rendait nerveux.

— Benjamin… J'ai failli ne pas te reconnaître, tu sais.

Ses paupières battaient délicatement.

— Et moi ? J'ai changé ?

J'avais fait non de la tête.

— Tu m'offres quelque chose à boire ? avait-elle demandé, en m'adressant un sourire si doux que je m'étais senti vaciller.

— Bonsoir ?

Camille s'était matérialisée, elle était là, son épaule contre la mienne, comme si les filles se déplaçaient ce soir-là par téléportation.

Je les avais présentées l'une à l'autre. Jill levant des yeux brumeux au-dessus du gobelet en plastique qu'elle tenait contre ses lèvres, Camille la saluant froidement d'un hochement de tête. J'avais eu l'impression stupéfiante d'assister à une lutte, et que cette lutte avait quelque chose à voir avec moi.

Le lendemain, Jill m'avait téléphoné. Je ne lui avais pas donné mon numéro. Elle devait avoir collé sa bouche sur le combiné, car j'entendais son souffle comme des rafales de vent lointaines.

— Je voudrais te demander quelque chose.

— Oui ?

La tête me tournait. Je m'étais appuyé contre le mur.

— Ça fait dix ans, cette année.

Elle avait inspiré bruyamment.

— Je voudrais retourner là-bas. L'endroit du pique-nique, au bord du lac. Et je voudrais y retourner avec toi.

J'avais sans doute répondu « d'accord » ou « pas de problème », sur le ton le plus détaché possible, comme si elle m'avait demandé de l'accompagner bronzer à Genève Plage.

Mais j'avais l'impression de tenir entre mes mains un cadeau enveloppé dans du papier brillant. Je m'étais souvenu de l'anneau poli, serti d'une grosse perle, que Summer avait trouvé en grattant dans le sable, sur la plage en Espagne. Elle s'était jetée à terre, en pleurant bruyamment, quand mes parents lui avaient demandé de rendre le bijou, gentiment d'abord, puis de plus en plus excédés, avec la voix de ma mère qui montait dans les aigus, et mon père qui tentait de la maîtriser, comme une petite forcenée.

Je revoyais ma sœur, approchant la perle le plus près possible de ses yeux, pour scruter en transparence l'intérieur de la nacre, le grain de sable originel au cœur de la matière.

Jill était habillée d'un short en jean et d'un T-shirt blanc, et je m'étais demandé si l'été, toutes les filles de la planète portaient des shorts en jean et des hauts blancs ou si elle avait conscience d'être vêtue comme Summer ce jour-là et s'il s'agissait alors d'une sorte d'hommage morbide, mêlé au désir inconscient de me faire du mal.

Elle m'attendait de l'autre côté de la rue, en face du portail de la maison. Elle portait un sac en osier et des lunettes noires. Elle ressemblait tellement à l'adolescente qu'elle avait été qu'il était difficile de la regarder.

Nous marchions en silence le long de la route de Bellevue. Il faisait presque aussi chaud que cet été-là. L'asphalte de la route semblait ramolli par la température. La lumière rétrécissait mes yeux, tandis que son regard, derrière ses lunettes de soleil, demeurait impénétrable.

Elle me passait sa bouteille d'eau, juste après y avoir bu, les lèvres humides. J'avais allumé deux cigarettes en même temps, avant de lui en tendre une.

Au loin, la forêt se détachait avec une clarté tranchante, un îlot de netteté dans le flou du temps.

Dans le bois, l'air s'était instantanément rafraichi, et assombri.

— Ça va ?

Elle avait hoché la tête, en relevant ses Ray-Ban dans ses cheveux, ses yeux étaient recouverts d'un film opaque.

— J'ai un peu froid.

Elle souriait bravement. J'avais frotté son bras, d'un mouvement gauche. Ses yeux ne me lâchaient pas.

Nous avions essayé de retrouver l'endroit. J'avais la sensation, une fois encore, de rejouer une scène, comme si ma vie était un long ressort à spirales, une succession de cercles concentriques qu'un dieu corrompu modifiait très légèrement à chaque révolution, ou alors c'était le jeu des sept erreurs, deux images d'apparence identiques, mais qui ne le sont pas – un oiseau effacé du ciel, les sandales beiges sont devenues rouges, l'ombre de l'arbre a disparu.

Je ne reconnaissais rien. On avait construit une aire de repos – des tables et des chaises en béton, soudées dans la terre –, des détritus jonchaient le sol, çà et là, des taches de couleurs incongrues, et je sentais dans ma gorge un goût amer, l'envie de me battre. Jill inspectait les lieux, se penchant derrière un tronc, mettant une main en visière sur son front pour scruter les profondeurs du bois, puis revenait vers moi, pensive. J'étais incapable de faire le moindre mouvement.

— C'était là, tu crois ? me demanda Jill.

J'avais haussé les épaules.

— Je ne sais pas.

Je lui lançai un regard blasé.

— Qu'est-ce que ça change, de toute façon ?

Ses paupières avaient frémi. Elle ouvrit la bouche, sembla se raviser. Elle soupira en levant les yeux vers la canopée.

— Allons marcher au bord de l'eau.

Elle avait remis ses lunettes de soleil en me tournant le dos, avant de s'éloigner à grandes enjambées.

Le lac était si sauvage que sa beauté en devenait inquiétante. Suspendues aux herbes sèches, une multitude de toiles d'araignées reliées les unes aux autres semblaient séparer le monde de l'eau de celui de l'air. Des libellules voletaient au-dessus des renouées aquatiques. Des forêts de roseaux inclinés se penchaient vers la surface comme pour contempler leur reflet.

Jill marchait devant moi, sans se retourner. Son dos était un reproche silencieux.

Je me sentais faible, exténué.

Elle avait fini par ralentir le pas. Mais alors que je la rejoignais, et que nous marchions côte à côte, sur la terre mouillée qui adhérait à nos pieds, de plus en plus près de la rive, elle s'était brusquement tournée vers moi. Son visage semblait brûlant.

— Pourquoi t'es comme ça ?

— Comme ça ?

— Tellement dur, et indifférent. On dirait que tu t'en fous.

Je m'étais mis à rire.

— Moi, je suis dur ? Moi, je m'en fous ?

J'aurais voulu dire quelque chose, mais je ne pouvais que rire, avec cette espèce de dédain, tandis que mes doigts tripotaient un briquet dans la poche de mon bermuda.

— On dirait que ça ne te fait rien.

Elle avait agité son bras en l'air, vers le lointain.

— D'être ici. De te souvenir.

Elle regardait au loin, en levant le menton, comme pour essayer de se maîtriser.

— Moi, j'y pense tout le temps. À elle. À cette journée. À ce qu'on n'a pas vu, ce qu'on a raté.

Elle avait baissé les yeux vers moi, en reniflant.

— Je ne sais pas comment tu fais.

J'avais sorti mon paquet de Marlboro, très lentement. J'allumai une cigarette, puis la retournai en examinant le bout.

— Non, tu ne peux pas savoir, en effet.

Mes doigts tremblaient. Jill fixait ma cigarette. Elle avait murmuré.

— On dirait qu'elle ne te manque pas.

— Qu'est-ce que tu en sais ?

Ma voix vibrait de colère.

Ses yeux s'étaient agrandis d'un coup, remplis de quelque chose qui ressemblait à de la peur, ou de la souffrance pure.

— Toi, l'amie fidèle ? Toi, la fille parfaite ? Tu étais où pendant tout ce temps ? Pendant toutes ces années, où mes parents essayaient juste de pas devenir fous, avec sa chambre vide, sa place à table vide, ses baskets qui sont restées dans l'entrée, pendant des mois, elles étaient là, à côté de la porte, tellement blanches, c'était horrible, puis ensuite, elles n'étaient plus là, un jour elles avaient disparu, et c'était encore pire.

Je m'étais remis à rire, mais on aurait dit le gémissement d'un animal écorché.

— Alors, toi, elle te manque. Tu y penses tout le temps. Tu me fais bien marrer. Tu as fait comme tous les autres, Jill : tu nous as laissés tomber. Et tu as continué de mener ta vie de petite princesse, en faisant semblant que l'on n'existait pas, en faisant semblant ne pas me voir, quand tu me croisais en ville. Tu es partie loin, le plus loin possible. Tu n'en avais rien à foutre de nous, tu n'y pensais pas. Ni à ma sœur, ni à moi. Pas une putain de seconde. C'est ça la vérité.

Jill avait reculé, comme si les mots qui jaillissaient de ma bouche étaient des morceaux de verre brisé.

L'air grésillait de chaleur, les insectes tournoyaient, de plus en plus frénétiques. J'aurais voulu m'allonger. Jill s'agrippait à son sac, on aurait dit qu'il contenait ses biens les plus précieux, ou que son cœur y était caché, entre un miroir de poche et un trousseau de clés.

Soudain, elle s'était mise à courir, en direction de la forêt. J'aurais voulu l'appeler, ou me mettre moi aussi à courir, mais je ne bougeai pas.

Je regardais fuir les fugitifs.

Je regardais ses jambes qui filaient à toute vitesse, elles semblaient à peine toucher le sol, puis je regardais mes pieds, qui me parurent très loin, et quand je relevai les yeux, Jill avait disparu, et il ne restait que l'eau comme un trou bleu-noir.

Je ne savais pas ce que je ressentais. Le paysage m'était à la fois familier et inconnu. C'était peut-être là où nous avions pique-niqué, mais peut-être était-ce ailleurs, peut-être était-ce dans un autre monde.

Je n'arrivais pas à me concentrer, à me souvenir des traits du visage de Summer. Je n'arrivais même pas à penser à ce qui venait de se passer avec Jill.

Summer avait égaré un jonc en or un peu trop large qu'elle adorait. Ce jour-là, elle l'avait cherché dans toute la maison avec une sorte de rage hystérique, elle avait renversé sa collection de boîtes à chaussures sur la moquette, vidé sa commode, défait son lit, on entendait claquer les portes de tous les placards de la maison, ses « putain » qui finirent par se transformer en sanglots.

Quelques semaines plus tard, alors qu'on jouait au rami, par terre dans sa chambre, Summer s'était levée subitement, en refermant d'un coup sec les cartes dans sa main. Elle s'était dirigée, résolue, vers son sac de piscine suspendu à la porte de la salle de bains, avait plongé le bras à l'intérieur, en regardant ailleurs.

Elle avait triomphalement brandi le bracelet, entre son pouce et son majeur, comme un un « o » de surprise, un cercle de vide éclatant.

— Tada !

— Comment t'as fait ? Tu t'es souvenue d'un seul coup qu'il était là

Elle avait fait non de la tête, solennellement.

— Il m'a appelée ! Il me disait, « je suis là, je suis là », et elle chuchotait en faisant des vagues avec son bras pour m'indiquer la provenance du signal.

Je m'étais approché de l'eau, sans m'en apercevoir. Le lac ressemblait à une nappe d'étain.

Peut-être que si j'écoutais, j'entendrais sa voix. Je marcherais entre les arbres, suivant mon prénom prononcé à voix basse, j'avancerais sans réfléchir vers un fourré, je me pencherais pour écarter délicatement les branchages, et Summer serait là, pelotonnée dans les feuilles, elle se redresserait avec un sourire déconcerté et des brindilles dans les cheveux.

Je baissai les yeux sur un amas d'algues qui allaient et venaient mollement, tout près de la berge, et quand je les relevai, je vis Jill qui s'approchait.

Je sentis monter une joie éperdue, quelque chose de chaud et de froid, qui se déversait dans ma poitrine. Je fermai les yeux pour me calmer, quand je les rouvris, elle était là, devant moi.

— Pardon.

— Non, moi, pardon.

Elle riait.

Elle avait balancé son sac sur la rive, d'un geste rebelle et comique. Puis fait glisser son T-shirt sur sa tête, l'avait jeté au loin – il resta suspendu, en équilibre sur une branche.

Elle avait croisé ses bras sur ses seins pâles.

— On va se baigner ?

Sans attendre ma réponse, elle s'était débarrassée de ses sandales en agitant les pieds, avait fait glisser son short sur ses chevilles. Puis, elle m'avait souri et était entrée dans le lac.

Je regardais les bosses délicates de sa colonne vertébrale, tandis qu'elle avançait, sans se retourner.

Je peux aujourd'hui encore me mentir, toutes ces conneries sur mon détachement, mon absence au monde, qui semblait si sexy aux yeux des filles. Je peux bien me dire que je ne ressentais rien, que Jill était pareille aux autres, attirée par quelque chose au-delà de moi, l'envie d'avoir mal, d'éprouver le rejet, qu'elles n'étaient que des enfants gâtées, égoïstes et prétentieuses, je peux bien me raconter ce que je veux, mais ce jour-là, je me suis déshabillé avec une sorte de précipitation maladroite, et je suis entré dans l'eau sans hésiter. Sans hésiter j'ai marché dans la vase comme sur une bouche molle. Sans hésiter, je suis allé vers elle, qui m'attendait, immergée jusqu'aux yeux, tel un crocodile à l'affût.

Dans l'eau, un poisson noir a filé sous la surface, tout près de mes jambes. J'avançais péniblement, en m'enfonçant dans le sol. Jill glissait vers moi, puissante et paisible.

Elle s'était collée contre mon buste, en passant ses bras autour de mon cou, et, les yeux grands ouverts, elle m'avait embrassé.

J'ai bien vu que le docteur Traub n'en revenait pas, quand je lui ai raconté pour Jill. Il n'a même pas essayé de dissimuler sa surprise, et son excitation, on aurait dit qu'il avait tout oublié, son âge, son statut, le mien, il avait juste cet air réjoui qu'affichent les adolescents ingrats quand un autre adolescent ingrat évoque un miracle sexuel, quelque chose auquel ils n'auraient jamais osé croire pour eux-mêmes, bien que ce quelque chose soit l'unique objet de leurs divagations nocturnes. Il jouait avec son stylo-bille, en appuyant compulsivement sur le cliquet, et cela évoquait si fort la tristesse masculine et la masturbation que j'ai dû fermer les yeux.

Pendant quelques semaines, Jill et moi avions vécu cette chose insensée, nous marchions dans une bulle de verre qui roulait sous nos pieds.

Je l'attendais en fin de journée devant la pharmacie des Eaux-Vives où elle travaillait, elle sortait en souriant, et gambadait vers moi, et tout semblait aussi fluide que ce mouvement – il semblait naturel qu'elle me cherche du regard, en tendant gracieusement le cou, naturel de voir cette flamme dans ses yeux, comme si elle était dévorée par la fièvre, mais ce n'était pas le monde réel. Ce n'était pas Jill, l'inaccessible, et ce n'était pas moi, le petit frère invisible.

Nous marchions côte à côte, dans les rues, sous le ciel qui devenait presque blanc, dans une dimension alternative, qui se dépliait autour de nous comme un origami en papier.

C'était une sorte de bonheur parfait et coupable sans que nous sachions exactement pourquoi, peut-être qu'il enterrait Summer, qu'il la repoussait encore plus loin dans le néant, peut-être que nous avions à peine le droit d'inspirer l'air du monde des vivants, et nous respirions beaucoup trop fort.

Je voudrais croire que c'est la culpabilité, et le chagrin, contre lesquels se fracassèrent nos cœurs, de frêles coquilles dans un océan furieux, mais je sais que c'est faux. C'est moi qui ai tout foutu en l'air. Moi et ma rage sournoise.

Quelquefois, Jill parlait de mes parents, de notre vie d'avant. Cela arrivait surtout la nuit, dans son studio où s'entassaient les bandes dessinées et les bougies parfumées, comme si elle avait toujours dix-neuf ans. Elle s'asseyait toute nue dans son fauteuil en faux léopard, en relevant ses genoux contre sa poitrine. Elle pouvait faire à peu près n'importe quoi toute nue. Laver la vaisselle. Fumer devant la fenêtre. Parler de ma famille.

— Tes parents sont quand même bizarres.

Je souriais, en cherchant mes cigarettes entre les draps.

— Je pensais que ton père était un sacré dragueur…, disait-elle, en examinant ses pieds. Et puis, il y a eu cette fête, chez vous. Ta mère portait cette robe dos nu, sublime.

Elle avait levé les yeux vers moi.

— Tu te souviens ? On voyait le haut de ses fesses.

Elle passait les mains dans le bas de son dos, en tordant le buste, pour me montrer.

J'avais fait non de la tête. Ma bouche était sèche.

— Je suis entrée dans la cuisine pour prendre un verre d'eau, et il y avait ce type assez sexy, un ami de ton père, je crois, en tout cas je l'avais déjà vu chez vous. Il était à côté de ta mère, ils étaient avec un autre type, qui parlait très fort, et lui, l'ami de ton père, il avait l'air d'écouter attentivement, et en même temps, il avait la main glissée dans la robe de ta mère. Il a dû sentir que j'étais là, derrière lui, parce qu'il a doucement retiré sa main. Très lentement, comme ça.

Jill mimait le mouvement, en faisant glisser sa main dans l'air, vers le haut. Elle avait secoué la tête, comme si la vie était une énigme, cruelle mais captivante.

— On ne sait jamais vraiment qui sont les gens, non ?

Je la regardais, sans rien dire. Je pensais aux robes de ma mère, la bleue épaulée, la dorée, la noire en velours, mais aucun souvenir de celle-là, aux amis de mon père, j'aurais voulu faire une liste, écrire leurs noms sur une feuille, je pensais à la main de Jill : *qui sont vraiment les gens, Jill ? Oui, qui es-tu, toi ?*

Elle s'était levée pour enfiler un long T-shirt d'un mouvement lascif. J'avais la sensation que ma peau émettait des vibrations, comme les animaux blessés aux prédateurs dans la nuit, mais elle ne semblait pas s'en apercevoir.

La nuit, elle se redressait dans le lit, et se mettait à parler dans le noir.

— J'ai l'impression de nous regarder, de là-haut, de très très haut, on est tous là, minuscules dans la forêt, avec, au milieu, la couverture du pique-nique, toute petite, un timbre-poste, et je vois une main géante qui attrape Summer, et qui la jette dans une grotte, ou la pose sur un nuage.

Ou alors (faisait nerveusement craquer des allumettes) :

— Le pire, c'est de l'imaginer, aujourd'hui. Je me dis quelquefois que si je la croisais dans la rue, je ne la reconnaîtrais pas. Parce qu'elle a changé. Parce qu'elle a vécu des choses.

Ou encore :

— Je ne peux le dire à personne, mais dès que je monte dans le bus, ou dans le tram, j'ai peur. Je regarde tout le monde, je la cherche et quand je suis certaine qu'elle n'est pas là, que personne ne lui ressemble, je suis soulagée.

Je la serrais contre moi, j'aurais voulu l'embrasser pour toujours.

— La vérité, c'est que je voudrais qu'elle reste là où elle est, avait-elle chuchoté.

Mais ces mots n'étaient prononcés que dans l'obscurité, et au matin, avec la lumière qui tombait sur les draps en cascades, ou le pépiement d'un oiseau par la fenêtre, ils semblaient étrangement lointains, ou artificiels, comme si on les avait rangés avec tout le matériel d'un spectacle inquiétant, et théâtral, des foulards, des chapeaux à double fond, des boîtes hérissées de couteaux.

Je n'avais plus peur de l'eau.

— Ça te dit un bain de minuit ?

Ce soir-là, j'étais ivre et heureux. Nous étions assis l'un contre l'autre, sous des parasols bariolés, dans un de ces bars d'été qui surgissent au bord du lac, et nous buvions des cocktails aux noms grotesques, comme des jeunes mariés aux Bahamas.

Elle était toujours partante, pour tout. Elle avait glissé une ombrelle en papier derrière son oreille.

— Évidemment ! avait-elle dit en aspirant bruyamment à la paille la dernière goutte dans son verre. Elle avait vingt-neuf ans, mais il y avait quelque chose d'éternellement adolescent chez elle, ou alors elle n'était ainsi qu'avec moi, comme si un sortilège nous maintenait ensemble dans un passé qui se rejouait chaque été.

Nous avions couru dans le noir jusqu'au bord de l'eau. Nous nous étions déshabillés à toute vitesse, et sous nos pieds, les rochers étaient aussi doux qu'une moquette humide. Les réverbères se reflétaient dans le lac, on aurait dit qu'ils brillaient depuis les profondeurs.

J'avais été surpris par la douceur de l'eau, bienveillante comme si elle nous portait dans ses bras, ou que nous nagions dans l'air.

Au loin, les éclairages de la rade, et les points lumineux des voitures me donnaient l'impression d'avoir pénétré un espace sauvage auquel seuls Jill et moi avions accès. Elle s'était approchée de moi en silence, avait enroulé ses jambes autour de ma taille.

Je voyais la terrasse où nous étions assis, quelques minutes auparavant, et soudain, tout semblait aussi simple que d'entrer dans un univers parallèle, une faille dans l'écorce terrestre, où nous flottions, suspendus entre la voûte étoilée, telle une cloche scintillante posée sur la terre, et les abysses sous nos pieds. Le lac semblait si sombre qu'il n'avait plus de fond.

Je pensais que rien ne pourrait jamais nous séparer, mais Jill s'était détachée de moi, et elle s'était mise à dériver, en faisant la planche. Ses seins dégageaient une lumière pâle à la surface, et j'avais ressenti, l'espace d'un instant, une inquiétude, un point de côté.

Sur la rive, j'avais séché le corps luisant de Jill avec mon T-shirt, elle tremblait de froid, et je sentais cette douleur, au niveau de l'aine qui irradiait, une pulsation, un message en morse, *ça ne va pas durer, qu'est-ce qui dure en ce monde de toute façon ?*

Bien entendu, cela n'avait pas duré.

Nous étions allés à une fête costumée, dans une maison à Cologny, dont le thème était la nuit. Jill portait un masque de chat, et un collant noir. Elle ressemblait à ma mère. Ma mère aurait adoré s'habiller ainsi.

J'avais refusé de me déguiser.

Jill parlait avec un comte Dracula et une chauve-souris avec de grandes ailes tristes.

Au sous-sol, une fille dansait sous une boule à facettes qui éclairait son corps de flashs miroitants. Elle portait un masque en dentelle noire, et, un instant, j'eus l'impression de voir Summer, sa façon de danser, lente et sexy, mais elle avait soulevé le tissu sur ses yeux pour regarder quelque chose à ses pieds, et son visage ressemblait à une grosse lune rose. Je m'étais adossé au mur, tandis qu'un groupe de filles et de garçons masqués dévalaient les escaliers en s'appuyant les uns sur les autres. Les filles s'étaient répandues sur la piste, elles ressemblaient toutes à Summer, ou à ma mère jeune, tandis que les garçons les fixaient, les mains dans les poches, ou en plaquant leurs cheveux vers l'arrière, comme des versions jeunes de mon père, ou de ses amis.

Je m'étais engouffré dans les escaliers, pour échapper à un air dangereux, et dans le salon, où les silhouettes se fondaient dans un nuage bleu, qui me parut tout aussi malsain, j'avais aperçu Jill, de loin.

Elle discutait toujours avec Dracula, mais ils s'étaient déplacés, dans un espace plus sombre, comme s'ils s'enfuyaient au ralenti. Elle donnait des coups de griffe dans le vide, en repliant les doigts ; il riait, sa cape repliée sur l'épaule.

Une nappe de fumée s'étirait au-dessus de leurs têtes, on aurait dit que leurs pensées secrètes se rejoignaient dans les airs.

Il allait peut-être s'approcher et glisser ses doigts sous l'élastique de son collant. Elle ferait mine de ne rien remarquer en suçotant le citron de la bière mexicaine qu'elle tenait nonchalamment. Voilà c'est ça, me disais-je, les gens mènent plusieurs existences, ils font des choses le jour (comme se pencher vers moi, assise sur le siège passager, en réajustant ses oreilles de chat, et dire d'un ton enjôleur « on ne se quittera jamais ? » Et d'ajouter avec un rire provocant, tandis que je fixais la route, sans répondre « pas avant le printemps, alors ? ») puis la nuit, ils oublient tout, ils lancent des appels muets, cette soif à laquelle ils s'abandonnent sans lutte, ils sont là, tels des globes transparents que l'on peut tourner et retourner dans sa main, avec leurs émotions qui n'ont d'autre valeur que celle de l'instant, ma mère et sa robe indécente, Jill et ses lèvres retroussées, Summer, qui me fait signe avant de se fondre dans les fougères, et glisser dans un autre paysage, une bulle pleine d'eau et de neige en plastique, une forêt, un chalet, une tour Eiffel.

Je n'ai pas attendu le printemps.

En la voyant, appuyée nonchalamment contre ce mur, avec ce type qui la regardait en souriant, le sourire stupide et satisfait du touriste qui n'a aucune idée de ce qu'il tient dans sa main, une fleur carnivore, des baies empoisonnées, j'avais ressenti cette douleur familière. Une aiguille qu'on enfonce là où la peau est la plus fine, un coup de ciseaux dans du papier à cigarettes.

Je m'étais faufilé entre les silhouettes des invités, et sans savoir ce que je faisais, j'avais récupéré ma veste, sur un lit, dans une montagne obscène de sacs à main et de vêtements – pour une raison obscure, cette vision m'avait semblé la preuve supplémentaire d'une orgie imminente – et, j'étais parti.

Dans la voiture, je m'étais tout de suite senti mieux. J'avais démarré, les mains serrées sur le volant, en fixant désespérément la route qui s'étirait devant moi, indifférente.

Ensuite, il me semble que je n'ai plus jamais quitté l'habitacle de cette voiture. Je suis resté à l'abri dans cette boîte de tôle, contre laquelle rebondissaient les pleurs et les supplications de Jill.

Elle m'avait téléphoné, elle avait sangloté, elle m'avait écrit.

J'avais refusé de la voir, cela n'avait même pas été si difficile.

Un soir, alors qu'elle m'attendait devant ma porte, la peau livide et les yeux brillants, j'avais ressenti un frémissement dans ma poitrine mais cela n'avait duré qu'un instant.

Elle voulait des explications. « Je veux des réponses », avait-elle dit et sa main tremblait en allumant sa Marlboro.

J'avais eu ce rire désabusé.

— Tu veux des réponses ? Mais tout le monde voudrait des réponses, Jill.

Elle restait là, immobile, avec son imperméable sur son bras et cette incompréhension douloureuse dans ses yeux.

— Il n'y a pas d'explications, pas de réponses. Jamais.

J'avais détourné la tête vers la fenêtre. La nuit semblait aussi vide que mon cœur.

— C'est une bulle qui s'est refermée.

Mes mots étaient passés devant son visage blême, avant de filer par la fenêtre et de se dissoudre dans le noir.

Le docteur Traub passe sa main sur son visage, ses lunettes posées devant lui, comme s'il avait mal à la tête, ou qu'il essayait de contenir une colère déplacée.

— Et vous ne l'avez plus jamais revue ?

Je regarde ailleurs.

— Mais c'est vrai, non ? Qui a des réponses ? Est-ce que j'en ai, moi ?

Le docteur Traub remet ses lunettes, ses yeux brillent.

— Je ne sais pas.

Il ajoute, d'une voix douce.

— Les réponses sont parfois plus difficiles que les questions.

Sans même l'avoir décidé, je suis debout, je sens mes dents serrées, et l'envie de frapper cette table, de balancer les stylos alignés de façon névrotique, le presse-papier prétentieux surmonté d'un cerf en plomb, l'étui de ses lunettes en simili cuir, le calepin noir renfermant les pauvres secrets de ses patients, à moins qu'il n'y griffonne rien d'autre que des points d'interrogation et des listes de courses, toutes ces choses qui semblent posées là pour évoquer la maîtrise et le savoir, mais qui suintent l'impuissance et la poussière. J'imagine tous ces objets dans un carton, installé à la va-vite sur le bord d'une route, sous une pancarte « tout à deux francs ».

Ensuite, il ne resterait rien. Rien du docteur Traub.

— Parce que vous, vous les avez les réponses, peut-être ? J'en ai marre de ces conneries. Vous passez votre temps à brasser de l'air, en faisant semblant de savoir quelque chose, mais vous êtes aussi perdu, et aussi taré, que moi.

Je m'éloigne à reculons. Je voudrais rire mais je sens que je pourrais tout aussi bien me mettre à pleurer, et quand je sens la paroi dans mon dos, je me retourne et je sors en claquant la porte. Sur la banquette dans le corridor, une jeune fille me regarde avec de grands yeux apeurés. Elle enfonce la tête dans ses épaules comme si elle redoutait que je lui dise quelque chose, ou que je l'attrape par les cheveux, elle est si frêle que je me demande comment son corps peut renfermer tous les organes nécessaires à son fonctionnement. Elle me regarde fixement, tandis que je m'enfuis, je me trouve grotesque, mais dans la rue, je vois toujours son visage effrayé, et je l'imagine assise en face du docteur Traub, petit spectre silencieux, légère comme un courant d'air, à moins qu'elle ne parle sans cesse, tandis qu'il note dans son carnet, en toutes petites lettres, *anorexique morbide*, en faisant mine d'acquiescer aux mots étrangers qu'elle énonce de plus en plus vite en fixant le plafond, comme une incantation sans destinataire.

Ou alors ils parlent de moi, ils sont pris d'un fou rire, et le docteur Traub soulève les épaules, pour signifier son désarroi, tandis qu'elle vient s'asseoir sur ses genoux. Il passe sa grosse main sur sa nuque, et elle ferme les yeux comme un petit chat ronronnant.

De retour chez moi, je compose le numéro de la pharmacie du Bourg-de-Four, cela fait des jours que je récite les chiffres dans ma tête, quelquefois, j'arrive à le composer, mais je raccroche à la première sonnerie. L'idée que cette sonnerie existe dans ma dimension – celle d'un type hirsute aux yeux avides, simplement vêtu d'un T-shirt froissé – et dans la sienne, *au même moment,* cette idée est trop violente. Cette sonnerie retentit peut-être juste à côté d'elle, ces ondes qui voyagent entre elle et moi me plongent dans la panique, et je balance mon téléphone sur le lit, en marmonnant *pauvre type*.

Puis il se met à vibrer, et je le regarde, terrifié, persuadé que Jill me rappelle, ou un employé de la pharmacie qui va crier « laissez-nous tranquille espèce de malade », mais c'est mon père, et sa voix est si claire et si sûre d'elle-même, que je me dis que Marina s'est trompée, c'est évidemment moi qui ne suis pas le fils de mon père, et tandis qu'il m'ordonne de déjeuner avec lui, demain, j'enfile un slip, à toute vitesse, comme s'il pouvait me voir.

Je suis assis devant une assiette de tortelinis à la crème, toujours la même. Chaque fois que nous déjeunons ensemble, mon père et moi, chez Roberto, dans un décor immuable de nappes beiges et de lumière feutrée, je commande la même chose, un plat liquide et blanc, tandis qu'il prend de la viande rouge. J'ai la sensation que nos assiettes reflètent qui nous sommes, un enfant indéfini et un grand prédateur, qui pourrait tuer de ses mains la bête qui repose là, tout en la découpant délicatement de ses doigts gracieux, ces doigts qui semblent émouvoir les femmes qui s'approchent de notre table en passant une main sur leur jupe, ou en secouant leurs cheveux. Elles jettent un regard dans son assiette, et j'ai la sensation qu'elles voudraient être cette viande charcutée par ses doigts. Elles sourient en se penchant, laissant leur chemisier s'écarter, tandis qu'il se lève d'un bond pour les saluer, en repoussant sa chaise, le léger tremblement de leur voix, et cette rougeur au creux de leur cou, comme des fleurs exotiques, démesurément ouvertes. Quand j'étais enfant, il y avait toujours cet instant où elles s'adressaient à moi avec un ton mièvre que l'on réserve aux petits animaux, mais quelque chose dans leur posture indiquait que leurs paroles étaient en réalité destinées à mon père, qui acquiesçait en souriant distraitement. Aujourd'hui, il y a un trouble, un léger flottement, quand elles posent leurs yeux sur moi, après avoir embrassé mon père, parfois beaucoup trop près de la bouche, avec ce rire embarrassé, et puis elles me regardent, *tu connais mon fils, Benjamin*, et je vois la surprise, dans leurs yeux, le rappel déplaisant de l'âge de mon père, et peut-être du leur, même si elles sont de plus en plus jeunes, comme s'il passait son temps à rencontrer des femmes, dont les générations successives se transmettent leur admiration à la façon d'un passage de relais. Je les imagine, en shorts et débardeurs numérotés, courant autour d'un stade, et se transmettant, essoufflées et toutes rouges, le fanion de leur exaltation. Désormais certaines m'adressent à peu près le même sourire, en me saluant d'une voix encore plus douce, tandis que mon père se met à consulter son téléphone, ou se rassoit en déployant ostensiblement sa serviette de table, comme un drap sur ses genoux.

Elles sont trop maquillées, elles ressemblent à de toutes petites filles qui auraient joué avec du fard à joues, elles parlent beaucoup trop fort, leur agitation me rend nerveux, surtout dans la pénombre éclairée. Ici la vie ressemble à une pièce de théâtre, dans laquelle mon père aurait le rôle principal, et l'on ne sait pas exactement que penser de son fils, assis là, qui émiette consciencieusement des grissini et pourrait tout aussi bien se lever en brandissant une arme, et les tuer tous.

Il y a des hommes aussi, qui viennent saluer mon père, et ceux-ci me regardent à peine, ils ont le même sourire satisfait que lui, sans doute est-ce le bilan calamiteux de ma vie professionnelle, je vois leurs yeux qui s'attardent sur mon sweat-shirt délavé, ils ont entendu que j'étais « en dépression », et je perçois les reproches contenus, la peine et la honte que je cause à mon père, tout ce que je lui inflige après ma sœur, et soudain ils ont l'air beaucoup plus vieux, terrassés par la cruauté des enfants, et quelquefois, je le ressens si fort, moi aussi, ce chagrin, que je dois lutter contre l'envie de me précipiter sur mon père pour le prendre dans mes bras, ce qui parachèverait ma réputation d'être antisocial et perturbé.

— Tu as une tête de déterré, Benjamin.

J'avale d'un trait mon verre de vin rouge, il me fixe comme si chacun de mes gestes était une provocation.

— On me dit que tu as encore fait prolonger ton arrêt maladie.

Je pense à l'écran bleu de mon ordinateur, sa lumière évoque celle dont parlent les êtres ayant vécu une expérience de mort imminente.

— Summer me manque, je crois.

Mon père lève les yeux de son assiette, où une entrecôte ensanglantée se défait, on dirait qu'une bête enragée l'a déchiquetée.

— Elle nous manque à tous, Benjamin.

— Pourquoi tu ne nous as pas dit la vérité ?

Il me fixe. Ses couverts restent un instant suspendus, scintillant dans la pénombre. Il finit par reposer les segments de lumière qu'il tient entre ses mains.

— Quelle vérité ?

— Sur le vrai père de Summer.

Dans cet état de confusion qui accompagne toujours mes entrevues avec lui, je sens mes épaules qui se durcissent, tandis je pose une main sur mon poignet, pour lutter contre le désir de vider un autre verre, ou pour sentir quelque chose, une pulsation, un peu de vie, mais il n'y a rien.

— Qui t'a parlé de ça ?

Sa voix est calme, mais la menace est là, juste derrière.

— C'est Marina.

Il rit.

— Évidemment.

Il se redresse sur son fauteuil, replace la serviette délicatement sur lui.

— Oui, c'est vrai. Quand j'ai rencontré ta mère, elle avait cette petite fille. Sans père.

Une jeune femme, un foulard dans les cheveux, nous adresse un signe en passant au loin. Il me semble un instant que mon père lui envoie un baiser, mais quand il baisse le regard sur moi, ses yeux sont mouillés.

— Je me souviens, la première fois que je l'ai vue, elle portait ce petit bonnet de laine bleu.

Il fait passer les doigts autour de son crâne, comme s'il tricotait des souvenirs invisibles.

— Je l'ai toujours considérée comme ma fille, je l'adorais.

Il me lance un regard perdu.

— Comment a-t-elle pu nous faire ça ?

Je vois son visage se transformer, il semble voyager dans ses souvenirs, et que ses yeux regardent à travers moi, comme si j'étais une vitre au travers de laquelle on pouvait voir dérouler son passé, un cortège sur un tapis roulant, avec ma mère, mon père et Summer qui avancent, ma sœur est dans leur bras, ou sur les épaules de mon père, puis elle gambade devant eux, ses cheveux poussent, elle perd ses joues, ses jambes s'allongent, son chemisier enfle, elle porte un petit manteau en lapin, puis une robe à bretelles, puis un jean déchiré et un casque de walkman autour du cou, des rangées de bracelets qui croissent et décroissent le long de ses bras, ma mère est de plus en plus élégante et maquillée, mon père ne change presque pas, ou alors juste la teinte de ses cheveux, un peu plus claire, et quelque chose dans la mâchoire qui se durcit, et puis soudain, ils sont tous les deux, ils regardent à leurs pieds les vêtements de Summer éparpillés comme si ma sœur était faite de glace et qu'elle avait fondu.

— Je me suis trompé, Benjamin. Elle n'était pas ma fille. Il y avait quelque chose de corrompu dans son sang.

— Mais tu ne penses pas, quelquefois...

Il lève un visage défait vers moi, en saisissant la bouteille dans le seau en métal argenté sur pied, si clinquant, posé à côté de la table.

— Eh bien... qu'elle est... enfin, qu'il lui est arrivé quelque chose...

La serviette qui entoure la bouteille est éclaboussée de vin rouge, et j'ai un instant l'image d'une plaie sur le flanc de mon père qu'il aurait tamponnée à la va-vite, tout en continuant de sourire aux hommes d'affaires qui le saluent au loin.

— Et si elle était morte ?

J'ai parlé si bas que je ne sais s'il a entendu. Mais il me regarde sans ciller, on dirait qu'il attend ce mot depuis toujours, un petit animal volant que l'on aurait traîné derrière nous pendant toutes ces années, attaché par un fil à notre poignet, il est si familier qu'il ne fait même plus vraiment peur.

— Non, fait-il en secouant la tête. Je le saurais. Je le saurais là, et il tape sur sa poitrine.

J'ai à nouveau envie de me lever, et de le prendre dans mes bras, ou peut-être voudrais-je qu'il se lève lui, et me serre, mais, par une alchimie mystérieuse, mon chagrin finit toujours par devenir sa peine à lui, et je reste là, immobile, en décachetant à l'aveugle un anxiolytique dans le fond de ma poche, tandis qu'il hèle un serveur, en désignant la San Pellegrino vide, sur la table, avec un sourire mécanique.

Cette nuit-là, je rêve encore de Summer dans le lac. Elle est une flèche bleue dans sa chemise de nuit, elle file dans un banc serré de poissons aux flancs métalliques. Je voudrais lui parler, je nage de toutes mes forces pour la rejoindre, mais des algues s'enroulent autour de mes mollets, elles remontent des profondeurs, je sens leur étreinte vivante, quelque chose de doux, qui me chatouille, puis se resserre, elles m'enlacent telle des amantes furieuses. Je crie dans l'eau, je suis en colère, elle doit revenir, elle nous fait mal, mais mes yeux sont éblouis par les reflets du banc qui se fait et se défait. Un instant j'aperçois le point bleu de ma sœur, au cœur de la nage des poissons, elle ouvre la bouche, mais il n'en sort aucun son, ses yeux s'élargissent, et les poissons se rapprochent, ils l'entourent en se resserrant comme un monstre à facettes doté de millions d'yeux, et lorsqu'ils s'écartent, elle a disparu.

Ce matin, il y a un parfum mouillé dans l'air. Un mélange de plantes et de limon, sur un fond minéral, qui pénètre dans mes narines par vagues, des petites virgules dans le vent. Il fait toujours aussi chaud, on dirait que le lac refoule quelque chose d'organique, un reflux de la vie et la mort dans l'eau. De la poussière d'espèces aquatiques, des particules de glace. Des fragments fossiles qui voyagent dans des molécules d'eau. Ils s'élèvent dans les airs jusqu'aux sommets des montagnes, où ils retombent en neige fine comme du sucre en poudre, et quelquefois au passage, ils entrent dans les poumons des hommes qui respirent l'air du lac sans plus le voir. Sa présence bleue ressemble à un grand ensemble vide, un trou au cœur de la ville. Je me souviens d'avoir vu au Musée d'art et d'histoire, derrière des vitres sales, éparpillés sur du velours, des petits objets préhistoriques, taillés et dérisoires, des bijoux en os, des pointes en pierre, des hameçons en corne, qui n'évoquaient rien d'autre pour moi que l'ennui et la neurasthénie des sorties scolaires. Il était impossible de croire que ces objets aient pu exister ailleurs que dans ces vitrines sombres, creusées dans les murs d'une salle plus sombre encore. Mais on racontait sur de grandes fresques la vie des premiers hommes dans les cités lacustres, au milieu des castors, des loups, et il était merveilleux de s'imaginer vivre dans une hutte sur pilotis, au milieu de l'eau, entouré de forêts sombres. On voyait aussi le mouvement infinitésimal des glaciers qui, au fil des ères de réchauffement, avaient rempli le lac comme une assiette à soupe, et sur la frise chronologique la présence de l'homme occupait un espace si ténu que c'en était fascinant et troublant, un soupir dans les temps géologiques.

À la sortie du musée, nous nous étions sagement remis en cortège, une troupe d'enfants émergeant du passé, fronçant les yeux face au soleil, en nous tenant par la main, et tout avait été aussitôt oublié.

Inspecteur Alvaro Aebischer. Je me suis souvenu de son nom. Il est remonté à la surface, intact, telle une pointe de flèche préhistorique sur la plage, entre les galets, nettoyée par les eaux.

J'avais téléphoné à l'hôtel de police, et tout avait été d'une fluidité terrifiante, comme si j'étais ressorti de son bureau la veille, on m'avait simplement indiqué qu'il était désormais chef de section, puis on m'avait basculé sur sa ligne, et presque aussitôt, j'avais entendu une voix, virile et fatiguée, que j'avais immédiatement reconnue.

Il n'avait pas eu l'air surpris, mais peut-être est-ce ainsi que vivent les êtres confrontés à la noirceur de l'âme humaine, peut-être que le temps est pour eux semblable à celui des mouvements tectoniques et des ères glaciaires. Il avait simplement marmonné, « bien sûr, Summer Wassner, je me rappelle », et il m'avait donné rendez-vous avec la politesse et le détachement d'une assistante médicale, sans rien ajouter, avec juste un fond de lassitude dans la voix, et rien n'indiquait s'il se souvenait de moi.

Je suis là, devant le bâtiment vitré de la police judiciaire, qui étincelle dans la lumière, on dirait un bloc de métal, ou un gigantesque coffre-fort. Le vent souffle près de mon oreille, il est plein de ce parfum de végétation et de décomposition, et quand je pénètre dans le hall, il s'engouffre dans ma bouche.

J'attends l'inspecteur Alvaro Aebischer, assis sur la banquette que m'a indiquée la jeune femme de l'accueil, une petite personne ronde et renfrognée au parfum de gel douche tropical. Quand elle s'est penchée pour examiner ma carte d'identité, et inscrire mon nom sur le registre d'une écriture enfantine, j'ai senti une odeur exotique, et je l'ai imaginée, les lèvres serrées, en train de presser un tube renfermant un paysage miniature de jungle et de chutes d'eau. J'ai regardé son uniforme qui la serrait beaucoup trop, et le mot police, brodé sur sa poitrine, à l'endroit où l'on aurait pu piquer un cœur en feutrine, ou une orchidée.

Je me suis installé docilement à la place exacte qu'elle m'a indiquée, d'un mouvement de menton, et je ne sais plus très bien ce que je suis venu faire ici, passer un examen de mathématiques, me constituer prisonnier, entrer dans une autre dimension, derrière ces parois qui semblent faites de carton. Je regarde les allées et venues des policiers en uniforme qui entrent et sortent en plaisantant, un gobelet de café dans la main, et seuls des objets noirs, indéfinissables, suspendus à leur ceinturon, évoquent un danger flou, une action lointaine, on dirait que toute la violence des hommes est accrochée autour de leur taille, dans cette ceinture qui semble peser une tonne.

Alvaro Aebischer sort de l'ascenseur en chemise, ses manches sont relevées sur des avant-bras recouverts de poils noirs, et je l'imagine un instant se battre avec un ours. Il n'a pas vraiment changé, sauf peut-être ses cheveux et un renflement juste au-dessus de son pantalon, trahissant les méfaits de la vie de bureau sur les grands prédateurs.

Il se dirige droit vers moi, en souriant, avec quelque chose d'amusé et de moralisateur dans le regard, exactement comme si j'avais toujours quinze ans, et que l'on venait de me ramasser sur la place du Bourg-de-Four défoncé à l'acide.

— Monsieur Wassner.

Je le suis dans l'ascenseur, qui semble trop petit pour nous deux, et tandis qu'il appuie sur le bouton du troisième étage, je sens les ondes puissantes qu'il dégage. Il a une cicatrice sur la mâchoire, une ligne effilée, et la peau sous son menton est irritée.

L'ascenseur s'élève, avec une lenteur molle qui me donne la nausée. J'ai du mal à respirer, on dirait qu'une main serre mes poumons de toutes ses forces. Je sens ma peau humide à la lisière de mes cheveux, cet ascenseur est tellement lent, je me dis que je vais faire une attaque de panique, et qu'Alvaro Aebischer doit me prendre pour un taré absolu, mais quand je lui jette un regard, il contemple le bout de ses chaussures. Lorsque l'ascenseur s'immobilise, et que les portes coulissent avec un crissement de mécanisme bancal, j'ai la sensation d'émerger d'une capsule à remonter le temps. Je me sens aussi terrorisé, coupable et perdu qu'il y a vingt-quatre ans, quand mes yeux ne pouvaient se détacher du mur derrière lui, juste au-dessus de sa tête, là où l'on pouvait lire « enculé ».

Alvaro Aebischer me laisse passer, avec un signe de la main courtois, il indique la direction de son bureau, et je souris, en avançant d'un mouvement souple, comme si j'effectuais un pas de danse, et je sais que jamais je n'aurais dû revenir.

La pièce est petite et sent le tabac. Je l'imagine en train de fumer, sans même prendre la peine d'ouvrir la fenêtre, peut-être a-t-il une bouteille de gin dans un tiroir, sous son bureau.

— Que puis-je faire pour vous ? me dit-il en faisant légèrement pivoter son fauteuil à roulettes.

— C'est à propos de ma sœur, Summer Wassner. Enfin, c'est à propos de ce que vous m'aviez dit, il y a longtemps…

Il se cale contre son dossier, ses petits yeux posés sur moi.

— Je me souviens très bien, monsieur Wassner. Je me souviens de votre sœur, et je me souviens de vous, aussi.

Je me redresse. Mes mains sont moites sur les accoudoirs de la chaise. Il me regarde fixement.

— Vous m'aviez dit que l'on finit toujours par retrouver les gens, qu'ils laissent des traces…

— C'est vrai, presque toujours, oui.

— Eh bien, je me dis… Après tout ce temps, il y aurait dû avoir des traces, non ?

— Excusez cette question, monsieur Wassner, mais ça vous a pris, comme ça ? Je veux dire, vous êtes venu me voir pour me dire ça, aujourd'hui, vingt-cinq ans après sa disparition ?

Il s'est penché vers moi, et j'ai la sensation de recevoir un afflux de testostérone, quelque chose qui bouillonne dans son sang et qui dément l'expression pacifique de son visage.

— Vous voyez, Benjamin, ce que je veux dire, c'est que pour pouvoir retrouver les gens, il faut les chercher…

Il n'y a aucune accusation dans sa voix, on dirait qu'il énonce un proverbe populaire.

— Vous savez ce que j'ai toujours trouvé étonnant avec votre famille ? C'est justement que personne ne semblait vraiment vouloir savoir où elle était, votre sœur.

— Comment ça ?

Je le regarde, je sens la nausée qui remonte. Soudain tout semble mouvant, autour de nous, le bureau, l'armoire derrière lui, et le portemanteau nu, qui se dresse tel un arbre mort dans un coin de la pièce, comme si nous étions dans un bateau.

— Comment pouvez-vous dire ça ?

Je suis surpris par le volume de ma voix, je pose les doigts sur ma gorge pour me reprendre.

— Vous n'avez pas la moindre idée de ce que nous ressentons, de ce que mes parents ressentent.

— Vous avez raison, je n'en sais rien.

Sa voix est posée, mais il inspire profondément, comme s'il parlait à contrecœur, que cette conversation lui était pénible, mais qu'il n'y avait rien d'autre à faire que la mener jusqu'au bout, maintenant que nous en étions là.

— Au début, votre père s'est beaucoup agité. Il connaît beaucoup de monde, il n'a pas manqué de nous le rappeler, d'ailleurs.

C'est donc ça. La réputation de ma famille, une fois de plus, l'image que nous donnons, de supériorité et de pouvoir. Je regarde le ciel, par la fenêtre, qui projette sa clarté livide sur le dos de l'inspecteur.

Je pense à mon père, qui monte rageusement dans sa voiture, et qui disparaît Dieu sait où, pendant des heures, je le vois roulant à toute vitesse le long du lac, balayant le paysage du regard, comme si ma sœur était cachée quelque part, qu'elle allait surgir d'un fourré, à la façon de ces chevreuils dessinés sur les panneaux de signalisation, on sait qu'ils sont là, on sent leur présence, ils respirent silencieusement, immobiles entre les arbres, leurs yeux luisants nous observent derrière les feuillages, mais on ne les voit jamais. Peut-être pense-t-il que s'il n'arrête pas de conduire, sa route va forcément croiser celle de Summer, qu'ils sont deux points en mouvement dans l'espace et qu'à force de se déplacer, ils se percuteront quelque part, c'est mathématique, son mouvement à lui implique son mouvement à elle, et la maintient en vie, à la façon d'un câble invisible qui les relie dans l'univers et se soulève au rythme de leur respiration.

Je revois ma mère, sur ce plateau de télévision, assise au milieu d'un grand vide éblouissant. J'entends sa voix faible, « une mère ne peut vivre sans savoir où est son enfant, c'est impossible », et j'ai l'impression que sa chaise flotte au milieu de l'univers. Sa voix se propage dans l'espace, elle parcourt des années-lumière sans rencontrer ni obstacle, ni écho, glissant entre les étoiles et les comètes froides, et il me semble que sa phrase continue de naviguer, toute seule au fond du cosmos. Un jour peut-être, elle reviendra jusqu'à nous, elle pourfendra l'atmosphère telle une météorite, et tombera dans l'oreille d'un passant, quelque part au bord d'une mer, ou d'une autoroute, mais cela n'est pas encore arrivé.

— Pendant des semaines, votre père a beaucoup téléphoné, il s'est beaucoup emporté, en s'indignant de l'incompétence des forces de police, des semaines où mon chef m'a d'ailleurs bien tapé sur le système, mais c'est une autre histoire. Mais tout ça, ce grand tapage, ça n'a pas duré. Très vite, dès la rentrée, c'était terminé. Ensuite, on n'en a plus entendu parler.

Alvaro Aebisher joue avec un stylo, il le retourne entre ses doigts, en le contemplant avec une sorte de curiosité triste.

— Donc, oui, je m'interroge. On avait l'impression que votre famille ne la cherchait pas vraiment.

— Et vous n'avez pas fait d'enquête ? Vous avez laissé tomber parce que ma famille ne s'est pas suffisamment manifestée, c'est ça, ce que vous êtes en train de me dire ?

Il relève les yeux, le stylo est suspendu en équilibre entre ses doigts.

— Ah non, je n'ai pas dit ça.

J'entends un souffle rauque, on dirait un animal blessé, affamé, qui respire quelque part dans la pièce, mais je réalise que le sifflement provient de ma gorge.

— On l'a cherchée, bien entendu.

Il me regarde, ses yeux sont pleins d'une douceur insupportable.

— Et on a fini par la retrouver.

Il baisse d'un ton.

— Ça nous a pris deux ans, mais on y est arrivé.

Il pose les coudes sur la table, se penche.

— Elle ne voulait pas que l'on sache où elle était. C'était son droit. Elle était majeure, c'est la loi.

Je regarde Alvaro Aebischer sans le voir, et sous mes paupières défilent toutes ces années, les étés, les hivers, le soleil se lève et se couche sur le lac Léman en accéléré, en dessinant des grands arcs lumineux dans le ciel qui change de couleur à toute vitesse, des nuages filent comme des ombres, des plantes naissent, fleurissent, leurs couleurs explosent tels des milliers de cris, et aussitôt elles meurent en se recroquevillant, puis tombent en poussière, et je tombe en poussière avec elles.

Alvaro Aebischer s'est levé, d'un bond, et je note, dans le brouillard du monde, combien il est toujours souple, et rapide, cette vitalité secrète que l'on sent sous sa peau, alors que j'ai l'impression de n'avoir plus aucune force, que je pourrais glisser sur le sol, et sombrer dans le sommeil. Sa main sur mon épaule m'envoie une décharge dans tout le corps.

— Je vais vous chercher un café.

Quand il revient, je ne sais pas s'il est parti une seconde, ou des heures, je regarde mes mains, posées sur mes cuisses, elles semblent petites et lointaines, je ne peux détacher mes yeux de ces mains, comme si je ne les avais jamais vues.

Alvaro Aebischer pose un gobelet devant moi. Un sachet de sucre qui semble si fragile, un nuage de papier gonflé d'air.

Il s'assoit sur le bureau, en me faisant face, ses cuisses touchent mon bras, et je recule, en faisant crisser la chaise sur le linoleum, un long gémissement qui déchire l'air.

— Et vous n'avez rien dit ? Parce que c'était son droit ? Vous nous avez laissés comme ça ? Sans savoir si elle était vivante ou morte ?

Mes mots sont de petites boules de feu qui volettent au-dessus de nos têtes, pleines de colère, de chagrin et d'impuissance, elles brûlent et retombent en cendres, parce qu'il n'y a rien d'autre à faire que les regarder se consumer.

Alvaro Aebischer lève le menton, il semble contempler quelque chose au-dessus de moi, ou peut-être attend-il simplement que je me calme, que passe la vague, peut-être traverse-t-il cela tous les jours, les bras croisés, en laissant son esprit voyager ailleurs, mais quand il se penche vers moi, son visage est plein de bienveillance.

— Si, Benjamin. Je leur ai dit. À tes parents. Ton père et ta mère, je les ai fait venir, ici à l'hôtel de police, et je leur ai dit.

Il pose sa main puissante sur mon bras, avec une douceur qui fait exploser mon cœur, et il continue de parler, tandis que je fais non de la tête, un enfant à qui on annonce qu'il ne rentrera plus jamais chez lui, ou qu'il n'existe pas, qu'il n'est que le produit de son propre rêve.

— Je suis désolé, Benjamin. Je ne sais pas pourquoi ils ne t'ont pas parlé. Je n'en ai aucune idée. Mais on voit tellement de choses étranges, si tu savais. On ne sait pas pourquoi les gens agissent comme ils agissent. Je crois qu'ils ne le savent pas eux-mêmes. Après toutes ces années, tout ce que je peux dire, c'est que la nature humaine est un putain de mystère. La seule chose à laquelle on puisse se référer c'est la loi. On croit que le la loi peut beaucoup, mais en fait, elle agit sur un minuscule territoire. Pour le reste…

Il soulève les mains, pour manifester son impuissance, il semble réellement embarrassé, et désolé, mais cela m'est égal, je voudrais le frapper, je voudrais le rouer de coups de pied et de poing, mais je me sens sonné, exténué et engourdi, avec cette chose qui bourdonne dans mon crâne, et cette main qui serre mon cœur de plus en plus fort.

Alors je me lève, je marmonne n'importe quoi, les mots sont pâteux dans ma bouche, je veux m'en aller d'ici, et tout vacille, à moins que cela ne soit moi, je serre la main de l'inspecteur, ou plutôt, je lui tends cette main inconnue et inerte, qu'il secoue en la tenant un peu trop longtemps, et je me retrouve dans la rue, la lumière me brûle les yeux. Je tiens dans ma main un morceau de carton, je finis par déchiffrer un numéro de téléphone, et le nom d'Alvaro Aebischer, et je me souviens qu'il m'avait dit de l'appeler, la nuit de l'acide, si j'en ressentais le besoin, et je n'ai rien fait, je pensais alors que ma vie était finie, et je ris douloureusement, en regardant autour de moi, où tout est exactement semblable, et absolument différent, et je me demande ce que je devrais penser, maintenant, alors que tout est vraiment fini, le temps a glissé entre mes doigts comme de la craie. Pendant toutes ces années, elle vivait quelque part, elle respirait, elle voyait des êtres vivants qui la voyaient aussi, elle sortait et rentrait chez elle – où que ce chez elle puisse être – et l'on ne m'a rien dit, et peut-être tout cela est arrivé simplement parce que je n'ai posé aucune question.

Je marche, dans la ville déserte, et rien ne pourrait m'arrêter. Peut-être que si j'avance, j'avance, quelque chose va surgir, la vérité, une explication, ou n'importe quoi qui pourrait apaiser cette douleur dans mon crâne, cette pulsation sous mes cheveux, comme si j'avais heurté un sac de sable.

Je sais que c'est faux. Il est trop tard, beaucoup trop tard, la phrase cogne, et cogne, dans ma tête, elle rebondit sur les parois de mon crâne tel un oiseau sur une vitre, et je me revois, enfant, confiant et abandonné dans les bras de mon père qui me soulève et me fait tournoyer dans les airs, je glousse, suspendu entre la terre et le ciel, je vois ma mère, qui crie, mi-amusée mi-effrayée, « arrêtez, arrêtez, vous me faites peur », et je vole, et mes poumons pourraient exploser d'amour et de gratitude.

Quand ont-ils commencé à me mentir ? M'ont-ils un jour dit la vérité, une seule fois ?

Je vois Summer, qui me suit du regard, à la façon d'une mère aux aguets, je vois sa robe et ses cheveux tressés qui lui donnent l'air d'une petite fille modèle, mais ses yeux ne me lâchent pas, on dirait que c'est à elle, et à elle seule, que revient la charge de me protéger, elle n'a confiance en personne d'autre qu'elle-même, elle me connaît comme si elle vivait à l'intérieur même de mon âme.

Je repense au pique-nique, combien de fois l'ai-je vécue, cette scène, projetée, et projetée encore, avec cette lumière qui avale tout, et les sons, étouffés, cette scène qui se rejoue dans mes rêves, cette scène qui n'est finalement qu'un mensonge, une illusion, un tour de passe-passe, un jeu de cartes truqué. Je vois son short en jean moulant, le coton blanc de son T-shirt qui s'enfonce dans les fougères, elles chatouillent la peau de ses cuisses et ses bras, j'entends les rires stridents des autres, au loin, mais les voix des filles semblent venir d'ailleurs, à des kilomètres de là, elles ne traversent pas l'air qui nous entoure, Summer et moi, nous sommes séparés du reste du monde par un drap jeté au-dessus de nous, nous sommes à l'abri, cachés dans les plis de l'espace et du temps, il n'y a qu'elle et moi.

Elle se retourne, on dirait qu'elle a senti mon regard dans son dos, et je vois sa main qui s'élève, elle remue doucement dans le bleu du ciel, et son demi-sourire, complice et rassurant, à moins que je ne l'aie imaginé, à moins qu'elle n'ait voulu me dire autre chose, un message silencieux entre ses lèvres serrées. Peut-être me regardait-elle sans me voir, peut-être était-elle déjà ailleurs, dans un présent où je n'existais plus. Je vois ses cheveux qui se fondent dans les herbes hautes, légères comme le vent, elles se referment à la façon d'un rideau, et puis il n'y a plus rien, et tout se brouille comme un paysage dans l'eau.

On ne sait pas pourquoi les gens agissent comme ils agissent.

Je vois mon père, chez Roberto – quand était-ce ? hier ? dans une autre vie ? –, il se frappe la poitrine, son poing contre sa chemise en coton, il fait non de la tête, avec son regard qui semble en connexion directe avec Summer, dans ce monde invisible où elle vit, je le vois qui murmure « si elle était morte, je le saurais », et j'entends Alvaro Aebischer, « mais je leur ai dit, à tes parents, je les ai fait venir, ici, au poste de police », je sens encore la chaleur que son corps dégage, ce concentré d'énergie compacte qui se diffuse et vous aspire, c'est un combat, ils me tirent chacun par une manche, à leur force je n'oppose rien, jamais je n'agis, et cette idée me percute comme si on m'avait frappé en pleine tête, par-derrière.

Je marche, je marche, je traverse la plaine de Plainpalais. L'immense esplanade est déserte, la lumière si forte qu'elle se transforme en matière avant de toucher le sol. Il n'y a personne, pas même un piéton au loin, on dirait que la ville s'est retirée, tandis que dans mon cerveau, des milliards de cellules nerveuses se connectent les unes aux autres, charriant à toute vitesse, beaucoup trop vite, des informations qui surnagent et disparaissent, englouties, au moment même où je tente de les saisir, et, dans la houle, je sens la douleur, lointaine.

*Elle ne voulait pas que l'on sache où elle était. Elle ne voulait pas que sa famille le sache.*

Je marche sur les quais, le long du Rhône, et du Bâtiment des forces hydrauliques, son enfilade de béton et de verre est survolée d'une multitude de mouettes, elles forment un nuage mouvant qui se dilate puis se comprime dans un ciel couleur de lait. J'ai la sensation que ces oiseaux sont la représentation de mon cerveau dans l'espace : des connexions qui tentent de se réorganiser, un système dynamique en perpétuelle reconfiguration, des chaînes se renforcent, d'autres se désagrègent, elles se défont puis reprennent leur forme initiale dans une plasticité parfaitement inutile, puisque rien, aucune configuration, entre le tissu de la mémoire, le passé que j'ai cru vivre, et celui qui semble surgir, rien ne se superpose. Il y a entre mes souvenirs et le réel qui se dessine des anfractuosités si vastes que toute ma vie semble s'y engouffrer, un mensonge vaste comme le ciel.

Je me rappelle mon père dans sa robe d'avocat, un verre à la main, les cheveux dans les yeux, devant une assemblée d'amis, écroulés sur le canapé, les jambes nues des femmes posées sur les cuisses des hommes, et lui debout, écartant les bras et sa robe noire dans un geste théâtral. Le visage empourpré, il joue à plaider l'innocence d'un client, de longues tirades enflammées, avec une passion dont il ne fait jamais preuve dans notre vie, puis ensuite, prenant le rôle du procureur, démolissant tout son argumentaire en affirmant exactement le contraire de ce qu'il vient de dire, un instant auparavant, avec la même sincérité, la même exaltation dans la voix. Je me souviens de mon angoisse, tandis que les amis riaient, Bernard Barbey avait sifflé en glissant ses doigts dans sa bouche, et ma mère, debout, ravie, légèrement instable sur ses talons hauts, j'avais senti mon cœur s'affoler, la lumière synthétique sur la robe noire de mon père, fascinant tel un oracle ou un magicien, agitant ses manches scintillantes : « Le secret c'est de raconter une histoire à laquelle les gens ont envie de croire, n'importe laquelle. Les hommes ne veulent pas savoir, ils veulent croire, une fois que vous avez compris ça… », disait-il le regard fiévreux, en levant son verre devant ses yeux, comme s'il tenait le monde dans sa main.

Les soirées étaient toujours vertigineuses, les adultes révélant des facettes inattendues de leur personnalité, les enfants n'étant que des figurants – jamais cette loi ne semblait plus éclatante que la nuit – mais ce soir-là, des pans entiers de sol se désagrègent sous mes pieds, une faille qui s'ouvre à toute vitesse, révélant sous la moquette une matière brûlante.

La facilité avec laquelle mon père mentait. La fierté qu'il en tirait.

Il s'était incliné, une main contre son cœur, sous les applaudissements et les sifflets, une blonde opulente, des rougeurs dans le décolleté, avait envoyé ses sandales à travers la pièce, elle avait l'air saoule, ou illuminée, ou peut-être était-elle juste amoureuse, et c'était fou de sentir l'excitation de l'assistance, comme si cette capacité à tromper son monde était tout ce dont les femmes rêvaient, tenir contre elles un être qui pourrait les aimer et les poignarder, et les hommes aussi, qui opinaient du chef, l'air roublard, on aurait dit qu'ils faisaient ça toute la journée, « remplacer une illusion par une autre illusion », ainsi que disait mon père à ses clients, au téléphone. C'était devenu une sorte de slogan, énoncé avec l'aplomb distrait de celui qui n'a jamais connu l'échec.

J'avance sur le quai, au bord du fleuve, l'eau sombre et dense, du marbre fondu. C'est la même eau que celle propulsée dans les airs par le Jet d'eau devant mon bureau, la même eau qui passe devant la maison de Bellevue, morne et grise, la même eau que celle qui longe la forêt du pique-nique, avec ses reflets émeraude, cette eau qui va descendre jusqu'à la Méditerranée pour se fondre dans un autre bleu, plus profond et plus franc, cette eau vivante qui n'est donc pas si immobile que je l'imaginais.

Et je sais maintenant qu'elle n'est pas là.

Summer n'est pas là, elle est pareille à cette eau, qui voyage et se métamorphose, elle est le temps qui passe, il se déploie en formant une boucle, ou peut-être se défait-il comme un pullover dont on tirerait le fil, elle est comme les émotions que nous croyons voir sous la peau de ceux que nous aimons, elle s'évapore dans un souffle d'air chaud, ou se vitrifie en cristaux de glace, et je voudrais suivre cette eau pour savoir où elle va. Je voudrais rembobiner le temps comme sur les cassettes que ma sœur passait et repassait sur son transistor, avec dans ses yeux, cette brume sentimentale et mystérieuse, pour savoir quand ça a commencé, quand j'ai cessé de ressentir ce qu'ils ressentaient, quand je les aimais si intensément, et que je voulais les tenir entre mes bras, de toutes mes forces, pour contenir leur peine, les maintenir debout, mais je me trompais, je ne tenais que du vent. Je voudrais revoir les yeux de Summer, quand elle balançait la tête en rythme, en écoutant les slows enregistrés à la radio, et je voudrais épingler un ruban à son cœur et au mien – mais peut-être l'ai-je fait ?, peut-être que chacun de ses gestes tire imperceptiblement sur ma peau, le pincement d'un hameçon qui m'emmène, me tracte doucement vers elle.

À quelques mètres de moi, deux cygnes tendent le cou vers le ciel, leur plumage immaculé semble doux comme un nid posé sur les pavés. Ils se redressent en déployant leurs ailes, et se mettent à siffler, un long feulement rauque plein de colère, leur langue est noire. Ils gonflent leurs ailes qui se rejoignent en formant un cœur dans leur dos, un geste gracieux qui tranche avec ce cri furieux qui semble surgir du fond de leur être. Je me remets en marche, avec les mouettes qui forment des cercles au-dessus de ma tête, et les cygnes sifflent de plus en plus fort pour me chasser de leur territoire. Peut-être appartiennent-ils à cette armée sauvage qui désormais règne sur les hommes, et me repousse pour m'emmener ailleurs, là où je dois aller.

Je suis là, devant la pharmacie du Bourg-de-Four, je regarde la porte vitrée qui coulisse, dans un glissement silencieux étrangement réconfortant, et je fume une cigarette en aspirant de toutes mes forces, des petites bouffées de vie et de courage. J'ai marché jusqu'ici sans le décider, dans une sorte de déambulation aveugle ou peut-être ne suis-je plus que mouvement, désormais, tels ces requins qui doivent nager sans cesse dans le courant, pour ne pas mourir d'asphyxie, et je ne réfléchis toujours pas lorsque je franchis la porte vitrée qui s'ouvre devant moi, et que je m'avance dans cette pièce d'un blanc éblouissant, comme si j'entrais dans un au-delà frais et aseptisé, séparé du monde par quelques centimètres de verre.

Je ne la vois pas tout de suite, il n'y a que la lumière des néons, et les clients qui se déplacent dans un silence qui ressemble à un nuage avant l'orage, et mon cœur qui bourdonne, un grésillement au fond d'un freezer.

Je lève les yeux vers le comptoir, tout au fond, et aussitôt, elle apparaît, sortant de la pièce du fond. Elle porte une blouse blanche ouverte sur une robe légère et tient quelque chose dans sa main, une boîte de médicaments, ou un morceau d'ivoire, un petit objet précieux en os, serré entre ses doigts. Ses cheveux sont attachés, il y a quelque chose d'épuisé dans son visage. Elle n'est plus une jeune fille, et pourtant, les mèches qui s'échappent de l'élastique lui donnent l'air d'une étudiante qui se serait habillée à la hâte après une nuit dans le lit d'un garçon dont elle n'aurait pas retenu le prénom. Elle se fige, et soudain le temps qui a passé inscrit au coin de ses yeux me terrasse, tout ce temps pendant lequel je serais incapable de dire où j'étais. Je regarde ses yeux qui s'agrandissent, ils n'expriment rien, il y a juste son geste suspendu, puis elle se détourne, et semble absorbée dans la contemplation du mur, comme si elle y cherchait une réponse, qu'on y avait écrit des instructions en lettres minuscules, ou alors c'est le déroulé de son existence tout entière qui est inscrit sur ce mur si blanc qu'il semble éclairer les visages des clients penchés au-dessus des présentoirs.

Elle se penche vers une blonde qui porte également une blouse, mais aussi un bandeau pailleté sur la tête, et de longs ongles rose vif, comme si elle voulait désespérément signifier que sa vie ne se limitait pas à cet espace froid et stérile. Elle chuchote quelque chose près de son oreille, et la blonde me lance un regard furtif, en acquiesçant, tandis que Jill lui tend la chose blême qu'elle tient dans sa main, elle ôte sa blouse, la jette nonchalamment derrière elle avant de se diriger droit sur moi.

— Bonjour Jill.

Je réalise combien il est difficile d'articuler.

— Qu'est-ce que tu fais là ?

Elle semble bouleversée, ou en colère. Elle a si peu changé que c'en est insupportable. Elle a perdu ses joues, et il y a ces petites griffures au coin de ses yeux, mais elle est si irréellement belle que c'est comme un souffle qui me repousse vers le vide derrière moi. Elle a deux lignes sur le cou, et je vois une main d'homme qui passe la lame d'un couteau sur sa peau, un jeu sexuel doux et dangereux.

— Je... Je suis venu te voir.

Elle a un petit rire sec.

— C'est trop gentil.

— Je voulais te dire : Summer est vivante.

Elle me regarde, on dirait qu'elle ne saisit pas le sens de mes mots ou qu'elle n'a pas entendu.

Elle tourne la tête, fixe à nouveau le mur. J'entends sa voix, lointaine.

— On sort deux minutes, tu veux bien ?

Elle s'est dirigée vers la terrasse du café, juste devant la pharmacie, elle tire une chaise en métal, et se laisse tomber, les coudes sur la table, comme si nous avions rendez-vous.

Je m'assois, et je sens la panique qui monte, je ne sais pas pourquoi je fais dans une seule journée tout ce que je n'ai pas fait durant toute une vie. J'entends le bruit sourd de mon cœur qui cogne, et j'ai l'impression qu'elle l'entend aussi, que toute la ville bat au rythme de ce cœur, un gigantesque muscle creux qui se contracte et se relâche sous la croûte terrestre. Un animal nouveau-né qui respire et rampe dans l'obscurité. Les pas d'un monstre géant qui progresse lentement dans la ville, surplombant les immeubles de sa tête tapissée d'écailles.

— Je suis allé voir le flic, celui qui s'occupait de l'affaire.

Elle me regarde, sans rien dire.

— Il l'a retrouvée. Deux ans après sa disparition. Et mes parents étaient au courant.

Elle sort un paquet de cigarette d'un endroit secret, comme s'il était caché dans les replis de sa robe, ou dans ses sous-vêtements.

— Tu es venu pour me dire ça ?

Je sens le sang affluer dans mon visage et dans mon cou, une tasse d'eau brûlante jetée dans ma figure.

Je fais non de la tête, mais elle ne me regarde pas, un serveur s'est approché, elle commande un Coca, je demande un café, alors que je voudrais une vodka, ou avaler tous les cachets de la boîte qu'elle a confiée à la fille au bandeau pailleté.

— Et puis, Summer n'est pas la fille de mon père.

Elle ne dit rien, elle fume en fixant la table, on dirait qu'on y a incrusté une infinité de fragments de verre tels de minuscules yeux ouverts.

— Tu le savais ?

Elle soupire, sans lever les yeux.

— Bien sûr, elle me l'avait dit. Elle avait trouvé un livret de famille, où il était inscrit « père inconnu », on avait treize ou quatorze ans. Ce n'était pas si important.

Je suis épuisé, et je vois qu'elle a envie de se battre.

— En fait, tout le monde savait, sauf moi.

Ses paupières battent, il y a une ombre noire à la lisière de ses cils.

— Tu ne voulais rien savoir, de toute façon.

Le serveur maigre, avec un bermuda qui tombe bien trop bas sur ses hanches, dépose un verre devant elle, le verre tinte, une petite mélodie joyeuse, le son d'une clochette issu d'un passé lointain.

Elle se redresse, et me fixe avec sérieux, comme si elle réalisait que je suis là, juste devant elle, faisant nerveusement tourner cette tasse ridicule, avec ma chemise qui colle à ma peau, mes yeux hallucinés, mon air de cinglé, et non pas dans un songe, ou une divagation de la mémoire.

— Tu sais quoi ? J'en ai rien à foutre. Qu'elle soit vivante, je m'en fous.

Elle souffle de la fumée par ses narines, des petits nuages de chagrin ou de rage.

— Vous n'êtes pas les seuls à souffrir sur cette terre, Benjamin. Vous souffrez, vous partez, et vous laissez tout le monde derrière vous. Tu as fait exactement la même chose qu'elle, Benjamin. Tu as disparu. Tu étais là, je savais même exactement où te trouver, mais je ne pouvais pas t'atteindre. Pour qui vous vous prenez dans cette famille ? Je t'ai écrit, je t'ai appelé, j'ai tourné et retourné dans ma tête, pour comprendre ce que j'avais fait de mal, puisque tu ne m'as donné aucune explication. Tu n'as même pas pris la peine de me dire quelque chose, ça n'existait pas. Je suis devenue folle.

Elle lève les yeux vers le ciel, comme si les souvenirs défilaient dans l'espace.

— Tu es comme elle. Vous êtes pareils.

Je ne l'avais jamais vue en colère, le Coca est noir dans son verre, il a la couleur de ses cheveux, et de ses sourcils plissés en deux petites pentes butées. Elle en a fait tomber sur sa robe, des cercles noirs, auréolés d'un noir plus clair, on dirait que son cœur s'est mis à saigner doucement sous les fleurs en acrylique.

— J'aurais préféré que tu sois mort.

Elle se lève, d'un seul coup, jette sa cigarette en la faisant gicler entre le pouce et l'index, elle vole en arc de cercle.

Nous la regardons un instant en silence, puis elle relève la tête.

— Quant à tes parents... Évidemment qu'ils ne t'ont rien dit. J'ai essayé de te parler, quelquefois, mais tu ne voulais jamais rien entendre.

— Me parler de quoi ?

Elle hausse les épaules, on dirait qu'elle se débarrasse d'un manteau, ou d'une fourrure d'ours dont elle émergerait, plus légère et presque nue.

— Ne me demande pas ça à moi, Benjamin, demande-leur à eux.

Et en une seconde, elle a disparu, elle a passé la porte en verre de la pharmacie, ou peut-être s'évapore-t-elle tout simplement, comme un baiser sur une vitre.

Je reste vacillant, debout devant la pharmacie, sous le soleil qui luit comme une grosse ampoule. Je sens son rayonnement, un faisceau de particules, ou les ondes d'un chant qui se propage dans toutes les directions, rebondissant contre la matière, et puis je me remets en marche.

Je veux rentrer chez moi, où que cela puisse être. Je remonte jusqu'à la gare, et tout me semble incroyablement lointain, et étranger, et quand je descends dans le garage sous mon immeuble, frais et sec comme une grotte où l'on pourrait s'imaginer passer l'été, même ma petite voiture me semble une étrange boîte métallique.

Je dois y retourner. Là où tout a commencé.

Je roule le long du lac, en direction de Bellevue. Le soleil projette à la surface de l'eau un couloir de lumière scintillante. Un peuple minuscule qui saute et agite les bras. Une allée de points d'or menant jusqu'à l'horizon, au pied des montagnes, leur masse grise impassible entre l'eau bleue et le ciel bleu.

Près de la côte, un pêcheur tire une nasse hors de l'eau, une cage rectangulaire dans laquelle on pourrait faire entrer un homme, ou une nymphe remontée des profondeurs. À l'intérieur des poissons se tordent et sursautent, j'ai l'impression qu'ils émergent du ventre du lac, ou d'un œuf.

J'imagine leurs bouches aspirant désespérément l'air qui les tue, des bouches de bébés qui dessinent un o de surprise.

Je pense au bateau de la gendarmerie, les plongeurs moulés dans leur peau de néoprène, le faisceau de leurs torches balayant l'obscurité. Je les vois entrer dans un monde plus vaste que le monde, dont les bords seraient tombés dans l'ombre. Une nappe que l'on tire et qui entraîne tout avec elle. Une écharpe en soie couleur d'encre qui se répand dans le noir.

Je me souviens de ma panique, la terreur qu'ils trouvent Summer, qu'ils remontent son corps emmailloté dans des algues, même si je le savais, je savais qu'ils ne la trouveraient pas.

Où était-elle ? Où est-elle maintenant ?

Summer sous l'eau. Je la vois dans le bleu, elle flotte dans l'obscurité, puis la lumière éblouit tout, un soleil qui tombe dans l'eau. Elle est encerclée de poissons roses, qui s'embrassent, et de bancs argentés, des flèches lancées toutes dans la même direction.

Je revois ma mère, sur ce plateau de télévision, les reflets nacrés de ses ongles, ses beaux yeux humides, et je me souviens qu'elle voulait être comédienne, quand elle était à Paris et qu'elle menait une vie plus fascinante, plus brillante, cette vie où elle n'accouchait pas d'un bébé sans père.

Je la revois, sexy et démunie, enfermée dans l'écran, peut-être qu'elle était plus sincère que jamais, dans son mensonge, une femme avalée par le fantôme de sa fille disparue, son immense visage projetant son ombre sur le sien, le même beau visage, mais moins jeune, comme des grandes ailes qui se referment.

Au-dessus du lac, les oiseaux volent à l'horizontale, une ligne en pointillé qui avance dans le même sens que moi. Peut-être m'emmènent-ils à Bellevue, peut-être vais-je les trouver sur la pelouse devant la maison, serrés les uns contre les autres, et leurs yeux perçants me suivront, tendant le cou sur mon passage.

J'ouvre la vitre, le vent entre à toute vitesse à l'intérieur de la voiture, de la lumière orangée et le parfum de l'eau, l'impression que la nature s'engouffre tout entière dans l'habitacle.

La route semble neuve, comme si elle sortait de la terre, lisse et brillante.

Je me souviens des bébés perruches qui étaient nés quand nous étions petits, dans la grosse cage blanche posée contre la fenêtre de la cuisine, à l'époque où ma mère avait voulu des oiseaux. Roses et gris, émergeant d'une bouillie d'œufs gluants, des morceaux de peau nue, des ailes atrophiées.

Très vite, il y avait eu du sang sur le cou de la femelle, et on nous avait expliqué, à ma sœur et à moi – pétrifiés, secouant la tête comme si nous refusions de le concevoir – qu'il arrivait que la mère attaque et tue ses petits. Personne ne savait pourquoi.

« Ce sont des choses qui arrivent. »

Je me rappelle ma mère tenant quelque chose enroulé dans du papier, elle jette le paquet dans la poubelle, puis elle reste là, silencieuse, à contempler l'intérieur, et quand elle m'aperçoit dans l'embrasure de la porte, elle relâche le couvercle d'un seul coup, et passe ses mains sous l'eau, en les faisant mousser avec du liquide vaisselle.

Et puis les oiseaux et la cage avaient disparu.

Quand je descendais la nuit prendre un verre de lait, simplement éclairé par la lueur froide du frigidaire, il me semblait voir surgir de l'évier quelque chose de vivant, qui venait respirer à la surface.

Je passe le portail, me gare devant la maison et en sortant de la voiture, j'ai l'impression que la terre est redevenue immobile. Le monde sauvage dans l'habitacle s'est dilué dans l'univers.

Ma mère s'immobilise en me voyant, elle tient des serviettes de bain entre ses bras.

— Benjamin ?

Je vois sa surprise, et quelque chose qui ressemble à de la peur, derrière son sourire, le sourire qu'elle adresserait à n'importe qui se présenterait là, sur son perron, l'une de ses amies, un panier d'été à accroché à son bras, ou un inconnu tenant une hache.

Je ne suis pas revenu ici depuis longtemps, un an, deux, peut-être plus, il est trop douloureux d'essayer de se souvenir. Quand nous étions tous les trois, à l'intérieur de cette maison, l'air se comprimait. Et il y avait la chambre de Summer, fermée, dont semblait s'échapper une mélodie lointaine, un air de flûte, ou une coulée de poussière, et un jour, il ne fut juste plus possible de venir.

— Tout va bien ?

Elle est si frêle, devant la maison qui paraît immense, dans la lumière dorée de la fin de journée. Son ombre se projette sur le jardin en le recouvrant, et nous nous tenons dans cette ombre.

Je ne réponds pas, je l'embrasse du bout des lèvres, je voudrais gagner quelques secondes, rester un instant encore dans le monde d'avant.

Elle me regarde en continuant de sourire, laisse tomber les serviettes sur une chaise longue, je m'adresse à son dos penché.

— Je sais pour Summer.

J'entends ma voix faible.

Elle se redresse, me regarde désemparée.

Elle croise les bras.

— Tu sais quoi, Benjamin ?

Je la fixe, son petit visage déterminé, et je me dis qu'elle s'accrochera jusqu'au bout au mensonge, à cette chose qui a grandi entre nous, légère et volumineuse, un ballon en papier de soie rouge gonflé à l'infini par des poumons d'enfant.

J'inspire. Je me tiens au bord du monde. Je regarde au fond de l'abîme, les arbres, les rochers, tout en bas, un ruisseau minuscule comme un filament bleu.

— Je sais qu'elle est vivante. Je sais qu'elle n'est pas la fille de papa. Je sais que vous ne m'avez rien dit. Et je sais que vous n'avez rien fait pour la retrouver.

Elle reste là un instant, immobile, puis se détourne, entre dans la maison. Elle se dirige vers la cuisine, et je la suis, tout près.

— Ton père n'est pas encore rentré. Tu veux boire quelque chose ?

— Maman…

Je ne sais pas si elle m'entend, elle reste plantée devant le frigo, et un instant j'ai l'impression qu'elle s'apprête à y entrer tout entière, qu'elle va disparaître dans le froid et la lumière blanche. Mais elle se contente de tirer fermement sur la porte, elle tient une bouteille de vin blanc dans sa main, la pose sur la table, puis s'assoit, en me regardant droit dans les yeux.

Je prends deux verres dans le placard, au-dessus du four, un geste automatique, à gauche, juste à côté des coupes à champagne, j'ai toujours été stupéfait du nombre insensé de coupes à champagne, et je sais que je pourrais ouvrir tous les placards les yeux fermés, peut-être que c'est ce qu'il reste de nos vies, la place de chaque chose dans une cuisine.

Le verre tremble dans sa main. Ses yeux brillent d'un éclat irréel.

— Tu n'as aucune idée, Benjamin.

Je respire, le cœur serré. Une pierre lancée dans le vide, qui tombe dans l'obscurité. Juste un chuintement dans l'air.

— J'étais si amoureuse, et il m'a laissée…

— Il t'a laissée ?…. Mais qui ?

Elle soulève les épaules, la tête penchée sur son verre, elle ressemble tellement à Summer à cet instant, une adolescente inaccessible. Elle relève la tête et me fixe.

— Il était marié, c'était un ami de mes parents. Je suis tombée enceinte, j'avais vingt et un ans.

Elle a un petit rire rauque.

— Je pensais vraiment qu'il m'aimait. On est stupide, à cet âge-là. Et mes parents… Je pense qu'ils auraient voulu que je disparaisse de la surface de la terre. Tout était de ma faute. D'un seul coup, ma vie était terminée. Je voulais faire des choses, et je me suis retrouvée, ici, dans cette ville, ce monde minuscule.

Elle fait un grand geste las, dans l'espace.

— J'aurais pu faire des choses. J'aurais eu une autre vie.

Je l'observe, mais elle est partie, elle regarde cette autre existence qu'elle aurait menée, sans Summer, sans mon père, sans moi, cet endroit où nous n'existons pas.

— Je me suis mariée, tu crois que je l'ai fait pour moi ? Je l'ai fait pour mes parents. Je l'ai fait pour ton père, pour ta sœur, pour le monde, tous ces gens qui venaient chez nous, et qui ont disparu d'un seul coup ensuite. J'étais proche de Bernard Barbey, tu te souviens, je pensais qu'il était là pour moi, et puis, quand elle est partie, quand elle nous a fait ça, il ne me prenait plus au téléphone, ou alors il disait « calme-toi, calme-toi », comme si j'étais folle.

Des larmes jaillissent de ses yeux, et je me demande si je l'ai déjà vue pleurer.

— Si ça se trouve, elle a couché avec lui aussi.

Sa voix vibre de rage.

— Qui a couché avec lui ?

Elle se lève, d'un seul coup, se met à marcher comme une somnambule sous la lampe suspendue qui fait briller ses cheveux. Un disque de lumière dorée, juste sur le haut de son crâne.

— Ta sœur !

Je la regarde, interloqué, je me demande si elle croit vraiment ce qu'elle raconte.

*Bernard Barbey ?*

— Elle était devenue notre ennemie. Elle les voulait tous. Elle était partout, elle me prenait tout, tout. Ton père, et tous ces garçons, tout le temps... Elle voulait nous humilier.

Je vois son reflet sur la fenêtre derrière elle, une autre mère, une inconnue sur la vitre.

— Et puis, quand on les a trouvés, Franck et elle, dans le salon... Couverts de sueur, obscènes, sur le canapé... Elle était là, toute nue, avec lui au-dessus d'elle. Ton père est devenu fou, il s'est jeté sur ta sœur, il s'est mis à la gifler, et avec Franck, ils se sont battus. Personne ne peut imaginer ce que ça peut faire. C'était comme si j'étais morte.

Sa voix aiguë résonne dans la cuisine, tandis que par la fenêtre, je vois le ciel qui s'obscurcit à toute vitesse, un manteau bleu jeté sur la terre. J'ai l'impression de m'en aller par cette fenêtre, de plonger dans ce bleu comme on entre dans un nuage.

Où étais-je cette nuit-là ?

Où étais-je toute ma vie ?

— Et trois jours après, elle nous a fait ça. Elle n'est pas rentrée. Pour nous punir.

Ma mère me lance un regard de noyée, les lèvres tremblantes.

Je ne ressens rien, je vois une carte que l'on déroule devant moi, un homme qui porte une casquette blanche de capitaine m'indique que je ne me trouve pas du tout là où je l'imaginais, je ne suis pas sur cette terre là, mais sur une autre, entre deux océans.

C'est une pellicule de givre, sur un pare-brise, sur laquelle un doigt trace doucement un prénom. Ou un cœur. Ou des obscénités.

Un nuage de cendres que j'aspire de toutes mes forces, et qui tapisse mes poumons.

Elle se rassoit en face de moi, vide son verre. Ses joues sont rouges.

— Et quand ce policier nous a appelés… Il nous a dit, qu'il l'avait retrouvée, et qu'elle ne voulait pas que l'on sache où elle était ! Tu te rends compte, Benjamin ?

Elle inspire fort, une main contre sa poitrine, en levant les yeux vers le plafond.

— Et toi… Tu étais déjà si perturbé. À quoi cela aurait-il servi de te parler ? À te faire encore plus de mal ? À te faire comprendre que, toi non plus, tu ne comptais pas pour elle ? Qu'elle ne pensait, comme toujours, qu'à elle ?

Je fais oui de la tête, je la secoue en rythme, pour apaiser ma mère, ou peut-être m'apaiser moi-même, mais quelque chose monte, surgi d'un lieu fossile, à l'intérieur de moi, ou alors cela provient du dehors, là-bas dans la nuit, quelque chose remue. J'ai envie de lui toucher la joue, mais peut-être ma main voudrait se poser sur sa bouche, et appuyer de toutes ses forces.

Ma mère me regarde, et m'implore, mais je n'existe pas dans ce regard.

— Personne, tu m'entends, personne, ne peut imaginer ce que j'ai traversé. Ce que ça fait d'accoucher, toute seule, à vingt-deux ans. Avec ces femmes et cet horrible médecin penché entre mes cuisses, qui me donnaient des ordres. C'était affreux.

Elle tape du poing sur la table, un petit poing comme une pierre coupante, et ses yeux sont brouillés de mascara, de larmes et d'une lueur farouche, toute cette force et ce refus qui l'ont séparée de nous, pendant toutes ces années.

— Elle m'a tout pris, Benjamin, tout !

Je me lève, je m'appuie un instant contre le dossier de la chaise et je marmonne « il faut que j'y aille » ou « pardonne-moi » ou « ta gueule putain ». Elle me fixe, stupéfaite, les yeux scintillants, ses lèvres remuent, mais je n'entends rien, je traverse le couloir, je m'enfuis.

Dehors, la nuit me prend dans ses bras veloutés, quelque chose se déplace dans l'air, un tourbillon de plumes, des créatures ailées qui se faufilent entre les arbres. J'entends dans l'obscurité le lac qui bruisse. Sa surface est luisante comme celle d'un miroir mystérieux. L'eau est violette, elle semble épaisse et vivante, nimbée d'un halo de lumière de lune. Les arbres se penchent vers moi, des géants qui approchent leurs visages, des yeux me suivent à travers les feuilles qui remuent doucement. Le monde sauvage me regarde, les étoiles, égarées et vaporeuses, les ombres, les animaux invisibles, les plantes qui diffusent des bouffées de chlorophylle, des soupirs enivrants, je les entends, une respiration profonde et bienveillante.

Je me demande si ma mère a la moindre idée de cette autre vie qu'elle aurait voulu mener, si elle sait de quoi elle parle, ou si elle ressemblait à un horizon éblouissant, un ciel d'un blanc pur. Un objet secret, poli par des années de frustration et éclairé chaque jour d'une lumière nouvelle, comme s'il venait d'être extrait du centre de la terre.

Je m'approche du bord de l'eau, qui m'appelle. Un animal qui respire faiblement, endormi ou blessé.

Je vois Jill, nue dans ce fauteuil, son mouvement dans l'air, imitant le geste de l'homme – Bernard Barbey ? Mon Dieu –, sa main qui remonte le long du dos nu de ma mère. Je vois ma mère, les yeux brûlants d'une intensité inconnue, qui regarde Bernard Barbey, et ma sœur, en peignoir, ou en T-shirt, qui passe, ensommeillée dans la cuisine, et son regard à lui, insistant. Je vois ma mère qui allume nerveusement une cigarette, je l'imagine fermer les yeux pour chasser les images insupportables qui défilent dans son esprit malade.

Je vois une image latente enfermée dans un appareil photo. Une pellicule enroulée dans le noir, un animal recroquevillé sur lui-même. Le cliché a été pris, mais il est invisible.

Je vois Summer et Franck, transpirants, leurs cheveux emmêlés, ils semblent attachés l'un à l'autre par des cordes mouillées, leurs vêtements jetés partout, des bouteilles renversées sur la table basse. Je vois ma mère, son visage qui se fend, une ligne qui court sur sa peau, quelque chose qui gronde et hurle en silence, et mon père qui se jette au ralenti sur ma sœur, elle est nue contre lui, le visage en feu, noyé de larmes, sa peau semble plus nue que nue contre la chemise de mon père.

Je vois ses mains sur ses hanches, agrippées, la peau de ma sœur qui rougit sous la pression de ses doigts. Il la tient, beaucoup trop fort, trop serrée contre lui, je vois ses seins écrasés sur sa poitrine à lui, son bas-ventre contre son pantalon, et la tête me tourne.

Je me penche au-dessus du muret, mon visage se reflète dans l'eau sombre. Le clapotis contre la pierre, une histoire murmurée à mon oreille, entre des draps.

Il y a des ombres, juste sous la surface.

Je vois cette photo, dans la *Tribune de Genève*, un silure de près de deux mètres, qu'un pêcheur ahuri serre dans ses bras, on dirait qu'il essaye de soulever un gigantesque bébé. Il est assis sur un monticule de boue, de l'eau jusqu'à la taille, déséquilibré par le poids de sa prise, et la légende sous la photo, « Un silure géant pêché dans le lac Léman ! » « On ne sait pas d'où ils viennent. Qui les a mis là ? », cette photo que vous regardiez longtemps, écœuré et fasciné.

Le cuir noir des gants du pêcheur.

Le corps gris vert, sale et tacheté, du poisson.

Les barbillons qui pendent de sa bouche béante, cauchemardesque.

Au-dessus du lac, la lune, immense, a remplacé le soleil, dans une étrange symétrie. Un disque en négatif de l'autre disque.

Elle est un visage nu, dénué de bouche, qui voudrait me dire quelque chose, mais les mots sont prisonniers à l'intérieur du voile qui la recouvre.

Tout autour, les planètes me regardent, muettes.

Le silence du monde pour m'aider à penser.

Plonger en moi.

Je vois les poissons de mes rêves, roses avec des barbillons semblables à ceux du silure, mais couleur chair.

L'aquarium dans la chambre de Summer.

Il s'allume, telle une télévision dans l'obscurité.

Les algues bougent, elles s'enroulent et se déroulent dans le courant, et je les vois à l'intérieur : les poissons roses. Ils ont rétréci, la taille d'une main d'enfant.

Ils s'embrassent, lèvres contre lèvres, dans un berceau de plantes.

Il y a aussi les poissons argentés de mes rêves. Et les grands bleus de mes rêves, avec leurs nageoires qui ressemblent à des voiles.

D'un seul coup, je me souviens de leurs noms, Kissing gurami, Néons bleus, poissons combattants. Ils surgissent comme des petits cartons rangés dans une boîte dont il suffisait de soulever le couvercle.

Le lac frémit dans l'ombre. L'eau et l'air me bercent, ils me secouent doucement, un jouet que l'on remue pour en faire jaillir une perle coincée à l'intérieur.

Le mouvement de la surface est semblable au mouvement de ma mémoire. Un corps qui se tortille et se retourne, dans l'eau et dans mon ventre en même temps, *attrape-moi, attrape-moi, attrape-moi.*

Je me penche un peu plus au-dessus de l'eau, une brise fraîche, et douce, sur mon visage, je veux m'approcher de ces voix qui m'appellent, juste sous la surface, de ces ombres qui bougent, je veux les tenir dans ma main.

Je sens le souffle de l'eau sur ma peau, une pointe qui scintille dans le noir, une bulle qu'on crève avec une épingle effilée, et c'est un flot de lumière qui se déverse et illumine tout.

La scène surgit de l'obscurité comme d'un bain chimique.

Une image capturée sur la surface sensible de ma mémoire.

Une image lisse, et brillante, telle une photographie révélée.

Il y a ma sœur dans une chemise de nuit bleue, elle a neuf, ou dix ans, et il y a mon père, en pyjama. Ils sont assis sur les chaises en bois minuscules. Il est bien trop grand pour cette chaise d'enfant.

Je vois leurs dos immobiles. Leurs cheveux, chiffonnés par la nuit.

La lumière de l'aquarium qui les éclaire.

Seuls les poissons bougent, entre les algues, un petit nettoyeur remonte le long de la vitre.

J'entends le ronronnement du filtre.

L'ensemble du vivant est enfermé dans cet aquarium. Des voiles, des étincelles, des bouches qui respirent. Des plantes qui poussent, des œufs translucides dans le gravier, des escargots qui rampent. Tout autour, les objets inanimés, le lit, le bureau, les petites chaises en bois, les silhouettes figées assises sur ces chaises, sont des ombres dans la pénombre.

On dirait le monde des morts observant la naissance de la vie, dans un récipient grouillant.

J'entre dans l'image, je plonge à l'intérieur, dans un travelling optique, et je m'approche, tout près de Summer.

Je sais que je m'approche du centre de la terre, cette chose dure et terrifiante, enfermée sous des strates rocheuses qui s'empilent les unes sur les autres depuis l'origine des temps.

Je réalise qu'elle porte la chemise de nuit bleue avec laquelle elle nage dans tous mes rêves, et je la regarde, le coton de sa chemise de nuit en gros plan.

Le tissu bouge.

Le tissu bouge comme si quelque chose vivait en dessous, un petit animal qui gigote, une bête qui se retourne dans son nid.

Je vois le bras de mon père, relié à cette chose qui remue sous le tissu, et je comprends que c'est sa main qui est là, entre les cuisses serrées de ma sœur, ses cuisses inertes et pétrifiées, alors qu'il regarde droit devant lui, absorbé par les poissons, qui bougent eux aussi, dans l'air atrocement silencieux.

Summer se retourne, ses yeux s'agrandissent, ses lèvres s'écartent, mais aucun son ne sort. Je recule dans l'obscurité du couloir.

Mais je l'ai vue.

Et elle m'a vu aussi.

# Après

On pourrait penser, qu'après toutes ces années, Summer Wassner s'était enfoncée dans le monde comme dans une jungle profonde, et que la rechercher serait une sorte de mouvement perpétuel, indécis et aveugle.

Qu'elle avait tout fait pour disparaître. Pour qu'on ne la retrouve jamais.

Qu'elle n'était plus qu'un fantôme.

Mais bien entendu, ce n'est pas vrai.

Je sais maintenant que nos fantômes sont là, juste de l'autre côté de la rue. Ils nous regardent. Ils nous appellent. Ils chuchotent notre nom, d'une voix basse, implorante, à intervalles réguliers. Parfois ils s'approchent si près que leurs doigts blancs effleurent nos visages.

Mais nous ne les entendons pas, nous ne les voyons pas. Sauf la nuit, dans nos rêves qui sont les animaux sauvages que nous tenons en laisse le jour.

Il a été incroyablement facile de la retrouver.
« Un jeu d'enfant », a même dit Alvaro Aebischer.

L'inspecteur et moi, nous dînons presque tous les mercredis dans cette pizzeria près de la gare. Avec ses murs recouverts de carreaux en émail blanc qui propagent de l'air froid, elle ressemble à une piscine vide. Nous sommes presque toujours seuls.

Alvaro Aebischer me raconte sa vie d'avant, quand il était sur le terrain, avec sa voix chaude, pleine de regrets. Il déteste son boulot, il va prendre sa retraite, l'année prochaine, et se mettre à son compte, détective privé. J'acquiesce avec enthousiasme, en hochant la tête, même si nous ni lui ni moi n'y croyons vraiment. Je lui parle de Jill, et de son fils, ce petit garçon de sept ans avec qui je vis d'étranges moments d'euphorie, à mouler d'infâmes figurines de dinosaures en plâtre. Je lui dis que je voudrais les emmener en vacances, et Alvaro Aebischer hoche la tête à son tour.

Il me semble que c'est ça, la vie, manger une pizza quatre fromages, en énonçant nos rêves sur un ton viril. Ils flottent au-dessus de nos têtes, dans la lumière des néons jaunes, et ils enflent, ce sont des bulles vaporeuses dans lesquelles nous soufflons.

L'autre soir, Alvaro Aebsicher m'a tendu une feuille quadrillée, pliée en quatre. Elle semblait toute petite entre ses doigts.

J'ai fixé longuement les lettres qui formaient une constellation au stylo à bille. SUMMER WASSNER 13 BOULEVARD ARAGO 75013 PARIS.

C'était comme une mélodie qui remontait du fond des temps, un air familier et inconnu à la fois, qu'on aurait chantonné à l'oreille d'un nourrisson, autour d'un feu, dans une caverne.

J'ai replié la feuille, en suivant exactement les pliures initiales. Je l'ai rangée dans mon portefeuille.

J'ai retrouvé Matthias Rosset. J'ai tapé son nom, sur internet, et il est apparu, gérant d'une auto-école, au Grand-Saconnex, ce fut aussi simple que ça. J'y suis allé le jour même, peut-être parce que je savais que si je réfléchissais, je n'irais plus jamais, ou peut-être que j'avais tellement besoin de parler à quelqu'un.

Je suis resté un instant devant la vitrine, hésitant, et puis j'ai jeté ma cigarette, et je suis entré.

Je l'ai vu aussitôt, derrière le comptoir, penché sur la carte d'identité d'une fille avec un bonnet tricoté. J'ai reconnu ses cheveux bouclés qu'il porte maintenant aux épaules. Avec sa veste en cuir trop serrée, et le diamant qui brille toujours à son oreille, il ressemble à un type qui ne voit pas que sa jeunesse est derrière lui. Je me suis demandé comment il avait pu tant m'impressionner.

Il m'a regardé un instant, sans avoir l'air de comprendre, j'ai répété mon nom, il a semblé vaguement surpris, puis il m'a serré la main, avec son sourire d'avant.

Il a passé le comptoir en fermant son blouson qui du coup paraissait encore plus ajusté, comme s'il l'avait emprunté à une toute jeune fille, il a lancé « à plus » à ses deux collaboratrices, qui ont hoché la tête avec l'air d'avoir l'habitude, et nous nous sommes installés au comptoir du bar, juste à côté. Je ne savais pas quoi lui dire, lui ne semblait même pas chercher, et j'ai fini par me lancer :

— Tu sais, j'ai retrouvé ma sœur, Summer. Elle habite à Paris.

Il a reposé sa bière aussitôt, en s'essuyant les lèvres du revers de la main, et en pivotant la tête vers moi.

— Je savais des choses… Et je n'ai rien dit. Je n'ai rien fait. Je crois que je voulais préserver l'image de mes parents. Je l'ai abandonnée. Je croyais que c'était elle… En fait, c'était moi.

Il m'a regardé, dans ses yeux est passé quelque chose que je n'avais jamais vu. Il s'est tu un instant, en regardant le mur, puis m'a expliqué qu'il était en plein divorce, que sa vie le faisait chier. Nous avons vidé nos verres, il a regardé sa montre : « Faut que j'y go. » Il a posé un billet de dix francs sur le comptoir, et il est reparti, en traînant ses bottes de moto.

Nous ne nous sommes plus revus. Mais je suis heureux qu'il existe, quelque part.

J'ai mis six mois à lui écrire.

Je voulais dire tant de choses, pendant des semaines, j'ai recommencé une longue lettre impossible, alors finalement, un soir, j'ai juste griffonné quelques mots, sans réfléchir, des mots que je ne répéterai pas, et puis je suis sorti, j'ai marché très vite, jusqu'à la boîte aux lettres, j'ai glissé l'enveloppe dans la fente, le ventre noué, et ensuite c'était comme si je m'étais délesté de quelque chose d'insensé, une lourde armure en métal, la dépouille d'un chevreuil au pelage soyeux.

Summer m'a répondu très vite, une semaine à peine. On aurait dit qu'elle n'attendait que ça, pendant toutes ces années, et cette idée m'a brisé le cœur.

Elle m'a envoyé une photographie.

Elle est là, au centre, une version sportive, urbaine, de ma mère, un sweat-shirt à capuche, des cheveux blonds, tirés. Elle est entourée d'un homme, avec un beau visage familier, qui perd ses cheveux, une main posée sur son épaule, et d'une petite fille blonde qui lui tient la main avec un air terriblement possessif. Il m'est impossible de dire si j'ai été surpris de reconnaître Franck, à côté d'elle, ou si tout était déjà inscrit à l'intérieur de moi.

Je ne savais pas mais je savais. Je savais mais je ne savais pas.

Je pense à Franck, le jour du pique-nique, je l'imagine assis dans sa voiture, juste de l'autre côté du bois, un sac de voyage, jeté sur la banquette arrière, ses mains qui pianotent nerveusement sur le volant. Je vois ce garçon presque adolescent qui veut sauver sa bien-aimée adolescente, le seul qui a compris, sans doute, qu'elle ne s'arrêtera pas, peut-être même est-ce lui qui a eu l'idée de la fuite, quand elle a commencé à coucher avec tous ces garçons et à envoyer des signaux de détresse qui n'étaient jamais reçus.

Je regarde souvent cette photo. Je la sors de mon portefeuille, je passe mes doigts sur leurs visages.

Pourras-tu me pardonner ? m'a-t-elle écrit, avec cette écriture, ronde et déliée, qui était toujours celle d'une jeune fille, et c'était si douloureux, ou tristement drôle, ces mots que nous pourrions tous prononcer, absolument chacun d'entre nous.

Je me dis qu'elle a dû, elle aussi, revivre à l'infini la journée du pique-nique, peut-être n'avons-nous même fait que cela, imaginer un mot, un geste, le simple mouvement qui nous aurait sauvés.

Quand je descends du train, à la gare de Lyon, cela fait vingt-quatre ans, neuf mois, huit jours que je l'ai vue pour la dernière fois.

Il fait nuit, l'air est froid sur ma peau, et j'ai l'impression d'entrer dans cette nuit comme on traverse un miroir. Je marche sur le quai, dans un flot de passagers qui traînent leurs valises, une foule qui se dirige dans la même direction, sous le vol chaotique de quelques pigeons, et je me demande si Summer est venue consciemment dans la ville de sa mère, là où tout a commencé, si elle a retrouvé la part d'elle-même qui lui manquait.

Je pense à ma mère, j'ai soudain envie de lui téléphoner, je pense aux messages qu'elle laisse désormais sur mon répondeur, d'une voix étrangement douce, j'entends les choses que je n'entendais pas. J'ignore si elle savait, ce qui se passait devant cet aquarium, parfois je me dis, bien sûr, les mères savent toujours, mais je sais aussi qu'une part de nous est restée là-bas, tout au fond du lac, tel un vaisseau splendide d'un autre temps, rempli de pièces d'or et d'ossements – si on l'effleure, il tombera en poussière.

Je marche, mon sac de voyage sur l'épaule. La foule avance à toute vitesse, elle semble emportée par un courant puissant qui se déverse dans la ville, mais je progresse au ralenti, le battement d'un cœur en hibernation.

Je regarde dans toutes les directions, sous le dôme de la gare, cette fille qui fonce, casque sur les oreilles, la tête enfoncée dans son col, une mère tenant un bébé qui se tortille pour lui échapper, la femme en minijupe qui fume une cigarette, il y a quelque chose dans une démarche, une main qui replace une mèche derrière l'oreille, je retiens ma respiration, mais ce n'est jamais elle, seulement des visages inconnus, qui me lancent des regards interrogateurs, ou méfiants. On dirait que toutes les femmes du monde se demandent s'il est possible de me pardonner. Si elles vont m'ouvrir leurs bras.

Mon cœur bat dans ma poitrine, dans mon cou, dans mes doigts. Je sens la peur dans ma gorge, cette idée que j'essaie de repousser depuis que je suis monté dans ce train, cette question à laquelle elle aurait finalement répondu, les yeux fermés, en secouant la tête, avant de retourner dans le néant.

C'est alors que je la vois. Elle est debout sous un chauffage qui rougeoie dans l'ombre comme un feu ou une plaie horizontale. Elle a les mains dans les poches de son blouson, des cheveux blonds, tirés, un visage nu, sans maquillage, juvénile.

Elle semble toute petite, sous le dôme de la gare, comme si on l'avait posée sous une gigantesque cloche de verre et de métal.

Elle regarde sur le côté, absorbée dans sa rêverie.

Mon cœur se serre, et tout mon corps se rétracte, il lutte contre une force contraire, un champ magnétique, ou un vent trop fort.

Je m'approche, j'ai la sensation d'émerger d'un songe, mais qu'il est déjà trop tard, et soudain elle tourne le visage dans ma direction.

Je m'approche, ses paumes se lèvent vers le ciel, je suis si près que je pourrais les attraper, je vois ses yeux brillants, ses lèvres s'écartent, un sourire en coin, supérieur et fragile.

— Benjamin, oh Benjamin.

J'entends mon nom, et j'entends sa voix claire, mélodieuse, comme si on l'avait tirée des profondeurs.

CET OUVRAGE A ÉTÉ COMPOSÉ
PAR PCA
POUR LE COMPTE DES ÉDITIONS J.-C. LATTÈS
17, RUE JACOB – 75006 PARIS
ET ACHEVÉ D'IMPRIMER SUR ROTO-PAGE
PAR L'IMPRIMERIE FLOCH À MAYENNE
EN MAI 2017

JC Lattès s'engage pour l'environnement en réduisant l'empreinte carbone de ses livres. Celle de cet exemplaire est de :
916 g éq. $CO_2$
Rendez-vous sur www.jclattes-durable.fr

N° d'édition : 01 – N° d'impression : 91193
Dépôt légal : août 2017
*Imprimé en France*